LE SABOTA

AMÉLIE NOTHOMB

Le Sabotage amoureux

ROMAN

ALBIN MICHEL

Au grand galop de mon cheval, je paradais parmi les ventilateurs.

J'avais sept ans. Rien n'était plus agréable que d'avoir trop d'air dans le cerveau. Plus la vitesse sifflait, plus l'oxygène entrait et vidait les meubles.

Mon coursier déboucha sur la place du Grand Ventilateur, appelée plus vulgairement place Tien An Men. Il prit à droite, boulevard de la Laideur Habitable.

Je tenais les rênes d'une main. L'autre main se livrait à une exégèse de mon immensité intérieure, en flattant tour à tour la croupe du cheval et le ciel de Pékin.

L'élégance de mon assiette suffoquait les passants, les crachats, les ânes et les ventilateurs.

Je n'avais pas besoin de talonner ma monture. La Chine l'avait créée à mon image : c'était une emballée des allures grandes. Elle carburait à la ferveur intime et à l'admiration des foules.

Dès le premier jour, j'avais compris l'axiome : dans la Cité des Ventilateurs, tout ce qui n'était pas splendide était hideux.

Ce qui revient à dire que presque tout était hideux.

Corollaire immédiat : la beauté du monde, c'était moi.

Non que ces sept années de peau, de chair, de cheveux et d'ossature eussent eu de quoi éclipser les créatures de rêve des jardins d'Allah et du ghetto de la communauté internationale.

La beauté du monde, c'était ma longue pavane offerte au jour, c'était la vitesse de mon cheval, c'était mon crâne déployé comme une voile aux souffles des ventilateurs.

Pékin sentait le vomi d'enfant.

Boulevard de la Laideur Habitable, il n'y avait que le bruit du galop pour couvrir les raclements de gorge, l'interdiction de communiquer avec les Chinois et le vide effroyable des regards.

A l'approche de l'enceinte, le coursier ralentit pour permettre aux gardes de m'identifier. Je ne leur parus pas plus suspecte qu'à l'ordinaire.

Je pénétrai au sein du ghetto de San Li Tun, où je vivais depuis l'invention de l'écriture, c'est-à-dire depuis près de deux ans, aux environs du néolithique, sous le régime de la Bande des Quatre.

« Le monde est tout ce qui a lieu », écrit Wittgenstein en sa prose admirable.

En 1974, Pékin n'avait pas lieu : je ne vois pas comment je pourrais mieux exprimer la situation.

Wittgenstein n'était pas la lecture privilégiée de mes sept ans. Mais mes yeux avaient précédé le syllogisme ci-dessus pour parvenir à la conclusion que Pékin n'avait pas grand-chose à voir avec le monde.

Je m'en accommodais : j'avais un cheval et une aérophagie tentaculaire dans le cerveau.

J'avais tout. J'étais une interminable épopée.

Je ne me sentais de parenté qu'avec la Grande Muraille : seule construction humaine à être visible depuis la Lune, elle au moins respectait mon échelle.

Elle ne ceinturait pas le regard, elle l'entraînait vers l'infini.

Chaque matin, une esclave venait me coiffer.

Elle ne savait pas qu'elle était mon esclave. Elle se croyait chinoise. En vérité, elle n'avait pas de nationalité, puisqu'elle était mon esclave.

Avant Pékin, je vivais au Japon, où l'on trouvait les meilleurs esclaves. En Chine, la qualité des esclaves laissait à désirer.

Au Japon, quand j'avais quatre ans, j'avais une esclave à ma dévotion personnelle. Elle se prosternait souvent à mes pieds. C'était bien.

L'esclave pékinoise ne connaissait pas ces usages. Le matin, elle commençait par peigner mes longs cheveux : elle s'y prenait comme une brute. Je hurlais de douleur et lui administrais maints coups de fouet mentaux. Ensuite, elle me tricotait une ou deux nattes admirables, avec cet art ancestral de la tresse auquel la Révolution culturelle n'avait pas enlevé un poil. Je préférais qu'elle me fît une seule natte : il me semblait que cela convenait mieux à une personne de mon rang.

Cette Chinoise s'appelait Trê, nom que je trouvai d'emblée inadmissible. Je lui fis savoir qu'elle porterait le nom de mon esclave japonaise, qui était charmant. Elle me regarda d'un air ahuri et continua à s'appeler Trê. De ce jour, je compris qu'il y avait quelque chose de pourri dans la politique de ce pays.

Certains pays agissent comme des drogues. C'est le cas de la Chine, qui a l'étonnant pouvoir de rendre prétentieux tous ceux qui y sont allés — et même tous ceux qui en parlent.

La prétention fait écrire. D'où un nombre extraordinaire de livres sur la Chine. A l'image du pays qui les a inspirés, ces ouvrages sont le meilleur (Leys, Segalen, Claudel) ou le pire.

Je n'ai pas fait exception à la règle.

La Chine m'avait rendue très prétentieuse.

Mais j'avais une excuse que peu de sinomanes à bon marché peuvent avancer : j'avais cinq ans quand j'y suis arrivée et huit quand j'en suis repartie.

Je me souviens très bien du jour où j'ai appris que j'allais vivre en Chine. J'avais à peine cinq ans, mais j'avais déjà compris l'essentiel, à savoir que j'allais pouvoir me vanter.

C'est une règle sans exception : même les plus grands détracteurs de la Chine ressentent comme un adoubement la perspective d'y mettre le pied.

Rien ne pose autant son homme que de dire : « Je reviens de Chine » d'un air détaché. Et aujourd'hui encore, quand je trouve que quelqu'un ne m'admire pas assez, je dispose, au détour d'une phrase, un « lorsque je vivais à Pékin », d'une voix indifférente.

C'est une réelle spécificité : car après tout, je pourrais aussi bien dire un « lorsque je vivais au Laos » qui serait nettement plus exceptionnel. Mais c'est moins chic. La Chine, c'est le classique, l'inconditionnel, c'est Chanel n° 5.

Le snobisme n'explique pas tout. La part du fantasme est énorme et invincible. Le voyageur qui débarquerait en Chine sans une belle dose d'illusions chinoises ne verrait pas autre chose qu'un cauchemar.

Ma mère a toujours eu le caractère le plus heureux de l'univers. Le soir de notre arrivée à Pékin, la laideur l'a tellement frappée qu'elle a pleuré. Et c'est une femme qui ne pleure jamais.

Bien sûr, il y avait la Cité Interdite, le Temple du

Ciel, la Colline Parfumée, la Grande Muraille, les tombes Ming. Mais ça, c'était le dimanche.

Le reste de la semaine, c'était l'immondice, la désespérance, la coulée de béton, le ghetto, la surveillance — autant de disciplines dans lesquelles les Chinois excellent.

Aucun pays n'aveugle à ce point : les gens qui le quittent parlent des splendeurs qu'ils ont vues. Malgré leur bonne foi, ils ont tendance à ne pas mentionner une hideur tentaculaire qui n'a pas pu leur échapper. C'est un phénomène étrange. La Chine est comme une courtisane habile qui parviendrait à faire oublier ses innombrables imperfections physiques sans même les dissimuler, et qui infatuerait tous ses amants.

Deux ans plus tôt, mon père avait reçu son affectation pour Pékin avec un air grave.

Pour ma part, je trouvais inconcevable de quitter le village de Shukugawa, les montagnes, la maison et le jardin.

Mon père m'expliqua que le problème n'était pas là. D'après ce qu'il racontait, la Chine était un pays qui n'allait pas très bien.

— Est-ce qu'il y a la guerre ? espérai-je.

— Non.

Je boude. On me fait quitter mon Japon adoré pour un pays qui n'est même pas en guerre. Evidemment, c'est la Chine : ça sonne bien. C'est déjà ça. Mais comment le Japon fera-t-il sans moi ? L'inconscience du ministère m'inquiète.

En 1972, le départ s'organise. La situation est tendue. On emballe mes ours en peluche. J'entends dire que la Chine est un pays communiste. Je vais analyser ça. Il y a plus grave : la maison se vide de ses objets. Un jour, il n'y a plus rien. Il faut partir.

Aéroport de Pékin : pas de doute, c'est un autre pays.

Pour des raisons obscures, nos bagages ne sont pas arrivés avec nous. Il faut rester quelques heures à l'aéroport pour les attendre. Combien d'heures ? Peut-être deux, peut-être quatre, peut-être vingt. L'un des charmes de la Chine, c'est l'imprévu.

Très bien. Ceci va me permettre de commencer à l'instant mon analyse de la situation. Je me promène dans l'aéroport d'un air inquisiteur. On ne m'avait pas trompée : ce pays est très différent. Je ne saurais dire au juste en quoi consiste cette différence. C'est laid, certes, mais d'une sorte de laideur que je n'ai jamais vue. Il doit y avoir un mot pour qualifier cette laideur-là : je ne le connais pas encore.

Je me demande ce que peut être le communisme. J'ai cinq ans et trop le sens de ma dignité pour demander aux adultes ce que cela veut dire. Après tout, je n'ai pas eu besoin de leur concours pour apprendre à parler. Si j'avais dû leur demander à chaque fois la signification des mots, j'en serais encore aux balbutiements du langage. J'ai compris toute seule que chien voulait dire chien, que méchant voulait dire méchant : je ne vois pas pourquoi l'on devrait m'aider pour comprendre un mot de plus.

D'autant que ce ne doit pas être difficile : il y a quelque chose de très spécifique ici. Je me demande à quoi ça tient : il y a les gens qui sont tous habillés pareil, il y a la lumière qui est comme celle de l'hôpital de Kobé, il y a...

Ne nous emballons pas. Le communisme est ici,

c'est certain, mais ne lui donnons pas un sens à la légère. C'est sérieux, puisque c'est un mot.

Quelle est donc la chose la plus étrange qu'il y ait ici ?

Brusquement, cette question m'épuise. Je me couche par terre sur une grande dalle de l'aéroport et je m'endors à la seconde.

Je me réveille. Je ne sais combien d'heures j'ai dormi. Mes parents attendent toujours les bagages, l'air un peu accablé. Mon frère et ma sœur dorment par terre.

J'ai oublié le communisme. J'ai soif. Mon père me donne un billet pour acheter à boire.

Je me promène. Pas moyen d'acheter des boissons colorées et gazeuses comme au Japon. On ne vend que du thé. « La Chine est un pays où on boit du thé », me dis-je. Bien. Je m'approche du petit vieux qui sert ce breuvage. Il me tend un bol de thé brûlant.

Je m'assieds par terre avec ce bol énorme. Le thé est fort et fabuleux. Je n'en ai jamais bu de pareil. Il me soûle le cerveau en quelques secondes. Je connais le premier délire de ma vie. Ça me plaît beaucoup. Je vais faire de grandes choses dans ce pays. Je gambade à travers l'aéroport en tournant comme une toupie.

Et brusquement, je tombe nez à nez avec le communisme.

Il fait nuit noire quand les bagages arrivent enfin.

Une voiture nous emmène à travers un monde infiniment bizarre. Il est près de minuit, les rues sont larges et désertes.

Mes parents ont toujours l'air accablé, mes deux aînés regardent les choses avec étonnement.

La théine est en train de provoquer des feux d'artifice dans mon crâne. Sans en rien laisser paraître, je suis folle d'excitation. Tout me semble grandiose, à commencer par moi. Les idées jouent à la marelle à l'intérieur de ma tête.

Je ne me rends pas compte que cette extase n'est pas appropriée à la situation. Je suis en décalage par rapport à la Chine de la Bande des Quatre. Ce décalage va durer trois ans.

La voiture arrive au ghetto de San Li Tun. Le ghetto est entouré de murs élevés, les murs sont entourés de soldats chinois. Les bâtiments ressemblent à des prisons. Un appartement du quatrième étage nous est attribué. Il n'y a pas d'ascenseur et les huit volées d'escalier ruissellent d'urine.

Nous montons les bagages. Ma mère pleure. Je comprends qu'il ne serait pas de bon ton de montrer ma crise d'euphorie. Je la garde pour moi.

Par la fenêtre de ma nouvelle chambre, la Chine est laide à rire. J'ai pour le ciel un regard de condescendance. Je joue au trampoline sur le lit.

« Le monde est tout ce qui a lieu », écrit Wittgenstein.

D'après le journal chinois, avaient lieu à Pékin toutes sortes de choses édifiantes.

Aucune n'était vérifiable.

Chaque semaine, les valises diplomatiques apportaient aux ambassades les journaux nationaux : les passages consacrés à la Chine donnaient l'impression de concerner une autre planète.

Une circulaire à tirage restreint était distribuée aux membres du gouvernement chinois et, par un aberrant souci de transparence, aux diplomates étrangers : elle émanait du même organe de presse que *Le Quotidien du Peuple* et contenait des nouvelles qui n'avaient strictement rien à voir. Ces dernières étaient assez peu triomphalistes pour être vraies, sans que l'on pût conclure à leur exactitude : sous la Bande des Quatre, les fabricants de versions diverses s'y perdaient eux-mêmes.

Pour la communauté étrangère, il était difficile de s'y retrouver. Et bien des diplomates disaient qu'en fin de compte ils n'avaient aucune idée de ce qui se passait en Chine.

Aussi les rapports qu'ils devaient écrire à leur ministère furent-ils les plus beaux et les plus littéraires de leur carrière. De nombreuses vocations d'écrivain naquirent à Pékin sans qu'il faille y chercher d'autre explication.

Si Baudelaire avait pu savoir que « n'importe où hors du monde » trouverait une illustration en cette accumulation chinoise de vrai, de faux et de ni vrai ni faux, il ne l'eût pas désiré avec tant d'ardeur.

A Pékin, en 1974, je ne lisais ni Wittgenstein, ni Baudelaire, ni le *Renmin Ribao*.

Je lisais peu : j'avais beaucoup trop à faire. La lecture, c'était bon pour ces désœuvrés qu'étaient les adultes. Il fallait bien qu'ils s'occupent.

Moi, j'avais des fonctions importantes.

J'avais un cheval qui prenait les trois quarts de mon temps.

J'avais des foules à éblouir.

J'avais une image de marque à préserver.

J'avais une légende à construire.

Et puis, surtout, il y avait la guerre : la guerre épique et terrible du ghetto de San Li Tun.

Prenez une ribambelle d'enfants de toutes les nationalités : enfermez-les ensemble dans un espace exigu et bétonné. Laissez-les libres et sans surveillance.

Ceux qui supposent que ces gosses se donneront la main avec amitié sont de grands naïfs.

Notre arrivée coïncida avec une conférence au sommet où il fut décrété que la fin de la Deuxième Guerre mondiale avait été bâclée.

Tout était à refaire, étant entendu que rien n'avait changé : les méchants n'avaient jamais cessé d'être les Allemands.

Et les Allemands n'étaient pas ce qui manquait à San Li Tun.

En outre, la dernière guerre mondiale avait manqué d'envergure ; cette fois-ci, l'armée des Alliés compterait toutes les nationalités possibles, y compris des Chiliens et des Camerounais.

Mais ni Américains ni Anglais.

Racisme ? Non, géographie.

La guerre était circonscrite au ghetto de San Li Tun.

Or, les Anglais résidaient à l'ancien ghetto qui s'appelait Wai Jiao Ta Lu. Et les Américains vivaient tous ensemble dans leur compound particulier, autour de leur ambassadeur, un certain George Bush.

L'absence de ces deux nations ne nous dérangea pas le moins du monde. On pouvait se passer des Américains et des Anglais. En revanche, on ne pouvait pas se passer des Allemands.

La guerre commença en 1972. C'est cette année-là que j'ai compris une vérité immense : sur terre, personne n'est indispensable, sauf l'ennemi.

Sans ennemi, l'être humain est une pauvre chose.

Sa vie est une épreuve, un accablement de néant et d'ennui.

L'ennemi, c'est le Messie.

Sa simple existence suffit à dynamiser l'être humain.

Grâce à l'ennemi, ce sinistre accident qu'est la vie devient une épopée.

Ainsi, le Christ avait raison de dire : « Aimez vos ennemis. »

Mais il en tirait des corollaires aberrants : il fallait se réconcilier avec son ennemi, tendre la joue gauche, etc.

C'est malin ! Si l'on se réconcilie avec son ennemi, il cesse d'être son ennemi.

Et s'il n'y a plus d'ennemi, il faut s'en trouver un autre : tout est à recommencer.

Comme quoi ça n'avance à rien.

Donc, il faut aimer son ennemi et ne pas le lui dire. Il ne faut en aucun cas envisager une réconciliation.

L'armistice est un luxe que l'être humain ne peut pas se permettre.

La preuve, c'est que les périodes de paix aboutissent toujours à de nouvelles guerres.

Tandis que les guerres se soldent généralement par des périodes de paix.

Comme quoi la paix est nuisible à l'homme, alors que la guerre lui est bénéfique.

Il faut donc accepter les quelques nuisances de la guerre avec philosophie.

Aucun quotidien, aucune agence de presse, aucune historiographie n'a jamais mentionné la guerre mondiale du ghetto de San Li Tun, qui dura de 1972 à 1975.

C'est ainsi que, dès mon plus jeune âge, j'ai su à

quoi m'en tenir quant à la censure et à la désinformation.

Car enfin, peut-on trouver dérisoire un conflit de trois années, auquel prirent part des dizaines de nations, et au cours duquel des atrocités aussi épouvantables furent perpétrées ?

Prétexte à ce silence des médias : la moyenne d'âge des combattants avoisinait les dix ans. Les enfants seraient-ils donc étrangers à l'Histoire ?

Suite à la conférence internationale de 1972, un mouchard fit part aux adultes de la guerre qui allait commencer.

Les parents comprirent que la tension belliqueuse était trop forte et qu'ils ne pourraient empêcher le conflit imminent.

Cependant, une nouvelle guerre contre les Allemands eût eu des répercussions insoutenables sur les relations avec les Teutons adultes. A Pékin, les pays non communistes devaient se serrer les coudes.

Une délégation parentale vint donc imposer ses conditions : « Oui à la guerre mondiale, puisqu'elle est inévitable. Mais aucun Allemand de l'Ouest ne pourra être tenu pour ennemi. »

Cette clause ne nous dérangea pas le moins du monde : les Allemands de l'Est étaient bien assez nombreux pour nous servir d'adversaires.

Or, les adultes voulaient plus : ils exigeaient que les Allemands de l'Ouest fussent incorporés dans l'armée des Alliés. Nous ne pûmes nous y résoudre. Nous acceptions de ne pas les démolir, mais lutter à leurs côtés nous eût paru contre nature. D'ailleurs, les enfants d'Allemagne de l'Ouest n'y consentirent pas davantage : faute d'ennemi, les malheureux en furent réduits à la neutralité. Ils s'ennuyèrent à périr.

(A l'exception de quelques petits traîtres qui passèrent à l'Est : singulières défections qui n'ont jamais été mentionnées.)

Ainsi, dans l'esprit des grands, la situation était régularisée : la guerre des enfants était une guerre contre le communisme. J'atteste qu'aux yeux des enfants, ce ne fut jamais le cas. Pour jouer le rôle des méchants, seuls les Allemands nous enthousiasmaient. La preuve en est que nous n'avons jamais combattu les Albanais ou autres Bulgares de San Li Tun. Ces quantités négligeables restèrent hors jeu.

Pour les Russes, la question ne se posa pas : ils avaient eux aussi leur compound particulier. Les autres pays de l'Est résidaient à Wai Jiao Ta Lu, à l'exception des Yougoslaves, que nous n'avions aucune raison de tenir pour ennemis, et des Roumains, que les adultes nous contraignirent à enrôler, tant il était de bon ton, à cette époque, d'avoir des amis roumains.

Ce furent les seules incursions des parents dans notre déclaration de guerre. Je tiens à souligner combien elles nous parurent artificielles.

En 1974, j'étais la benjamine des Alliés, avec mes sept ans. Le doyen, qui en avait treize, me faisait l'effet d'un vieillard. L'essentiel de nos effectifs était français, mais le continent le mieux représenté était l'Afrique : Camerounais, Maliens, Zaïrois, Marocains, Algériens, etc., emplissaient nos bataillons. Il y avait aussi les Chiliens, les Italiens et ces fameux Roumains que nous ne pouvions pas sentir, parce qu'ils nous avaient été imposés et qu'ils ressemblaient à une délégation officielle.

Les Belges étaient limités à trois : mon frère André, ma sœur Juliette et moi. Il n'y avait pas d'autres enfants de notre nationalité. En 1975 arrivèrent deux exquises petites Flamandes, mais elles étaient désespérément pacifistes : nous ne pûmes rien en tirer.

Au sein de l'armée se constitua dès 1972 un noyau dur de trois pays indéfectibles tant en amitié qu'au combat : les Français, les Belges et les Camerounais. Ces derniers portaient des prénoms ahurissants, avaient de grosses voix et riaient tout le temps : ils étaient adorés. Les Français nous paraissaient pittoresques : ils nous demandaient avec une réelle candeur de parler en belge, ce qui nous faisait rigoler, et ils mentionnaient souvent un inconnu dont le nom — Pompidou — déclenchait mon hilarité.

Les Italiens étaient le meilleur ou le pire : ils comptaient autant de poltrons que de braves. Et encore : l'héroïsme de ces braves obéissait à leurs sautes d'humeur. Les plus téméraires pouvaient se révéler les plus lâches dès le lendemain de leurs exploits. Parmi eux, il y avait une mi-Italienne mi-Egyptienne du nom de Jihan : à douze ans, elle mesurait 1,70 mètre et pesait 65 kilos. Compter ce monstre parmi nos rangs était un atout : à elle seule, elle pouvait faire décamper une patrouille allemande, et c'était un spectacle que de voir ce corps distribuer les coups. Mais sa terrifiante croissance lui avait déréglé le caractère. Les jours où Jihan grandissait, elle était inutilisable et infréquentable.

Les Zaïrois se battaient à merveille : le problème était qu'ils se battaient autant entre eux que contre l'ennemi. Et si nous intervenions dans leurs querelles intestines, ils se battaient contre nous aussi.

La guerre prit vite des proportions sérieuses et il apparut que notre armée ne pouvait se passer d'un hôpital.

18

Au sein du ghetto, près de la briqueterie, nous trouvâmes une gigantesque caisse en bois qui avait servi à un déménagement. Dix d'entre nous pouvaient s'y tenir debout.

La caisse de déménagement fut élue hôpital militaire à l'unanimité.

Il nous manquait encore le personnel soignant. Ma sœur Juliette, âgée de dix ans, fut décrétée trop jolie et trop délicate pour combattre au front. Elle fut nommée infirmière-médecin-chirurgien-psychiatre-intendante et s'en tira à merveille. Elle vola à des diplomates suisses, réputés salubres, de la gaze stérile, du mercurochrome, des aspirines et des vitamines C — elle attribuait à ces dernières des vertus souveraines contre la lâcheté.

Lors d'une expédition de grande envergure, notre armée parvint à investir le garage d'une famille d'Allemands de l'Est. Les garages constituaient des positions stratégiques considérables, car c'était là que les adultes enfermaient leurs provisions. Et Dieu sait si ces stocks étaient précieux à Pékin, où les marchés ne vendaient guère que du porc et du chou.

Dans ce garage teuton, nous débusquâmes une caisse remplie de sachets de soupe déshydratée. Elle fut confisquée et entreposée à l'hôpital. Encore fallait-il lui trouver une utilisation. Un symposium se pencha sur la question et découvrit que la soupe en sachets était bien meilleure à l'état de poudre. Les généraux se réunirent en secret avec l'infirmière-médecin pour décréter que cette poudre serait notre placebo guerrier : on lui attribuerait une valeur de panacée tant pour les plaies physiques que pour les tourments de l'âme. Celui qui y incorporerait de l'eau passerait au tribunal militaire.

Le placebo remporta un tel succès que l'hôpital ne

désemplit pas. Les simulateurs étaient excusables : Juliette avait fait du dispensaire une antichambre de l'Eden. Elle couchait les « malades » et les « blessés » sur des matelas de *Renmin Ribao*, elle les questionnait avec douceur et sérieux quant à leurs souffrances, elle leur chantait des berceuses et les éventait en versant dans leur bouche ouverte le contenu d'un sachet de soupe déshydratée. Les jardins d'Allah ne devaient pas être un séjour plus agréable.

Les généraux se doutaient de la véritable nature de ces épidémies mais ils ne désapprouvèrent pas ce stratagème qui, somme toute, leur parut bon pour le moral des troupes et rapporta à l'armée nombre d'enrôlements spontanés : certes, les nouvelles recrues voulaient devenir soldats dans l'espoir d'être blessées. Les chefs ne désespérèrent pas pour autant de faire d'eux de valeureux guerriers.

Il me fallut de l'obstination pour être admise parmi les Alliés. On me trouvait trop petite. Il y avait des enfants de mon âge, voire moins âgés, dans le ghetto, mais ceux-là n'avaient pas encore d'ambition militaire.

Je fis valoir mes mérites : courage, ténacité, loyauté sans bornes et surtout rapidité à cheval.

Cette dernière vertu retint l'attention.

Les généraux débattirent longuement entre eux. Ils finirent par me convoquer. J'arrivai en tremblant. On m'annonça que, pour ma petite taille et ma vitesse, j'étais nommée éclaireur.

— En plus, comme tu es un bébé, l'ennemi ne se méfiera pas.

La mesquinerie de cette allégation ne put entacher le bonheur que me valut la nomination.

Eclaireur : je ne pouvais concevoir plus beau, plus grand, plus digne de moi.

Je pouvais attraper ce mot-là d'un bout à l'autre, dans tous les sens, l'enfourcher comme un mustang, m'y suspendre comme à un trapèze : il était toujours aussi beau.

L'éclaireur était celui dont dépendait la survie de l'armée. Au péril de son existence, il avançait seul en territoire inconnu pour repérer les dangers. Il pouvait, au moindre caprice du hasard, marcher sur une mine et éclater en mille morceaux — et son corps, désormais puzzle d'héroïsme, retomberait lentement sur le sol en décrivant dans l'air un champignon atomique de confettis charnels — et les siens, restés au camp, voyant des fragments organiques monter vers le ciel, s'écrieraient : « C'est l'éclaireur ! » Et après s'être élevés en proportion de leur importance historique, les mille morceaux se figeraient un instant en cet éther, puis atterriraient avec tant de grâce que même l'ennemi pleurerait une si noble oblation. Je rêvais de mourir de cette façon : ce feu d'artifice rendrait ma légende éternelle.

La mission de l'éclaireur est d'éclairer, dans les multiples acceptions du terme. Et éclairer, ça m'irait comme un gant : je serais un flambeau humain.

Mais capable de se contredire comme les Protée de génie, l'éclaireur pouvait aussi devenir invisible, inaudible. La silhouette furtive se glissait parmi les rangs ennemis sans être remarquée de personne. L'espion, picaresque, se déguise ; l'éclaireur, épique, ne condescend pas à ces travestissements. Tapi dans l'ombre, il risque sa vie avec hauteur.

Et quand, au terme d'une reconnaissance suicidaire, l'éclaireur rentre au camp, son armée, bouleversée de gratitude admirative, accueille ses informations sans prix comme une manne céleste. Dès que l'éclaireur ouvre la bouche pour parler, les généraux se suspendent à ses lèvres. Personne ne le félicite, mais on lui adresse des regards droits et brillants qui en disent bien plus long.

De ma vie, jamais nomination ne me combla autant que celle-là : jamais titre ne me parut convenir aussi profondément à la valeur que je m'attribuais.

Plus tard, quand je me contenterais d'être Prix Nobel de médecine ou martyre, j'accepterais sans trop de dépit ces destinées un peu vulgaires, en me rappelant que la plus noble partie de mon existence était derrière moi et qu'elle me demeurait acquise pour l'éternité. Je pourrais éblouir les gens jusqu'à ma mort en disant cette simple phrase : « A Pékin, pendant la guerre, j'étais éclaireur. »

J'ai eu beau lire Hô Chi Minh dans le texte, traduire Marx en hittite classique, me livrer à une analyse stylistique des épanadiploses du *Petit Livre rouge*, réaliser une transcription oulipienne de la pensée de Lénine, j'ai eu beau offrir le communisme en pâture à ma réflexion, ou inversement, je n'ai pas pu dépasser les conclusions de mes cinq ans.

Je venais à peine de poser mon pied en terre Rouge, je n'avais pas même quitté l'aéroport, et déjà j'avais compris.

J'avais trouvé le seul vecteur qui permît de résumer la situation en une phrase.

Cette assertion était à la fois belle, simple, poétique et un peu décevante, comme toutes les grandes vérités.

« L'eau bout à cent degrés. » Beauté élémentaire de cette phrase, qui laisse un rien sur sa faim.

Mais la vraie beauté doit laisser sur sa faim : elle doit laisser à l'âme une part de son désir.

En cela, ma phrase était belle.

La voici : « Un pays communiste est un pays où il y a des ventilateurs. »

Cette phrase a une structure si lumineuse qu'elle pourrait servir d'exemple dans un traité de logique viennois. Mais, au-delà de ses grâces stylistiques, cette assertion a ceci de frappant qu'elle est vraie.

A l'aéroport de Pékin, quand je me suis retrouvée nez à nez avec un bouquet de ventilateurs, cette vérité m'a sauté au visage avec l'inexplicable évidence des révélations.

Ces fleurs étranges, à corolle pivotante enfermée dans un panier à salade, ne pouvaient pas ne pas être l'indice d'un milieu insolite.

Au Japon, il y avait l'air conditionné. Je ne me souvenais pas y avoir vu ces végétaux plastifiés.

Dans les pays communistes, il pouvait arriver qu'il y ait l'air conditionné, mais il ne fonctionnait pas : il fallait alors un ventilateur.

Par la suite, j'ai vécu dans d'autres pays communistes, la Birmanie et le Laos, qui ont confirmé mes vues de 1972.

Je ne dis pas qu'il n'y a jamais de ventilateurs dans les pays non communistes, mais ils y sont beaucoup plus rares et, ce qui est plus subtil, ils y sont insignifiants.

Le ventilateur est au communisme ce que l'épithète est à Homère : Homère n'est pas le seul écrivain au monde à utiliser des épithètes. Mais c'est sous sa plume que les épithètes prennent tout leur sens.

En 1985, dans son film *Papa est en voyage d'affaires*, Kusturica a tourné une scène d'interrogatoire communiste qui mettait en présence trois personnes : l'interrogateur, l'interrogé et un ventilateur. Au cours de l'interminable séance de questions-réponses, la tête pivotante de l'engin s'arrête, à un rythme inexorable, tantôt sur l'interrogateur, tantôt sur l'interrogé : elle se fige sur chaque personnage avant de balayer le rayon jusqu'à l'autre. Ce mouvement absurde et horripilant porte le malaise de la scène à son comble.

Pendant tout l'interrogatoire, rien ne bouge, ni les deux hommes ni la caméra : il n'y a que cette oscillation du ventilateur. Sans lui, la scène n'atteindrait jamais ce degré de crispation. Il joue le rôle de chœur antique, en beaucoup plus insupportable, car il n'émet aucun jugement, il ne pense rien, il se contente d'être là pour faire résonner les choses et exécuter, avec une exactitude infaillible, son boulot de ventilateur : efficace et sans opinion, le chœur dont rêvent les régimes totalitaires.

Je doute que même l'aval d'un célèbre cinéaste yougoslave puisse suffire à convaincre de la pertinence de mes réflexions sur les ventilateurs. Cela n'a aucune importance. Y a-t-il encore des esprits assez naïfs pour s'imaginer que les théories servent à être crues ? Les théories servent à irriter les philistins, à séduire les esthètes et à faire rire les autres.

Le propre des vérités confondantes est d'échapper à l'analyse. Vialatte a écrit cette phrase merveilleuse : « Le mois de juillet est un mois très mensuel. » A-t-on jamais rien dit de plus vrai et de plus confondant sur le mois de juillet ?

Aujourd'hui, je ne vis plus à Pékin et je n'ai plus de cheval. J'ai remplacé Pékin par du papier blanc et le cheval par de l'encre. Mon héroïsme est devenu souterrain.

J'ai toujours su que l'âge adulte ne comptait pas : dès la puberté, l'existence n'est plus qu'un épilogue.

A Pékin, ma vie était d'une importance capitale. L'humanité avait besoin de moi.

D'ailleurs, j'étais éclaireur et c'était la guerre.

Notre armée avait trouvé une nouvelle forme d'agression contre l'ennemi.

Tous les matins, les autorités chinoises venaient livrer des yaourts nature aux habitants du ghetto. Ils déposaient devant les portes de chaque appartement une petite caisse de yaourts individuels, contenus dans des pots en verre et recouverts d'un insignifiant papier. Le laitage blanc était surmonté d'une épaisseur de présure jaunâtre.

A l'aube, un commando de soldats masculins se rendaient devant les portes des appartements est-allemands, soulevaient les couvercles, buvaient la présure et la remplaçaient par une dose équivalente d'un liquide de même couleur fourni par leur organisme. Puis ils remettaient les couvercles, ni vu ni connu, et allaient se faire pendre ailleurs.

Nous n'avons jamais su si nos victimes mangeaient leurs yaourts. Tout porte à le croire, d'autant qu'aucune plainte ne fut mentionnée. Ces laitages chinois étaient d'une acidité telle que certains goûts bizarres pouvaient très bien passer sans être remarqués.

L'ignominie de cette manœuvre nous faisait éructer d'extase. Nous nous disions que nous étions immondes. C'était grandiose.

Les enfants d'Allemagne de l'Est étaient solides, courageux et forts. Aussi se contentaient-ils de nous rouer de coups. Ce genre d'hostilités paraissait dérisoire comparé à nos crimes.

Nous étions des salauds d'envergure, nous. La somme des muscles de notre armée était ridicule en regard de celle de l'armée ennemie, pourtant moins nombreuse, mais nous étions beaucoup plus méchants.

Quand l'un d'entre nous tombait entre les mains des Allemands de l'Est, il en sortait une heure plus tard, couvert de bosses et de bleus.

Quand l'inverse se produisait, l'ennemi en avait pour son argent.

D'abord, nos traitements prenaient beaucoup plus de temps. Le petit Allemand avait droit à au moins un après-midi de divertissements. Parfois sensiblement plus.

Nous commencions par nous livrer, en présence de la victime, à une orgie intellectuelle concernant son sort. Nous parlions en français et le Teuton n'y pigeait rien : il n'en avait que plus d'appréhension. D'autant que nos suggestions étaient proférées avec tant de jubilation et d'exaltation cruelle que nos visages et nos voix constituaient d'excellents sous-titres. La litote était en dessous de notre dignité :

— On lui coupera le... et les... servait de classique exorde à notre empilage verbal.

(Il n'y avait aucune fille parmi les Allemands de l'Est. C'est un mystère dont je n'ai jamais eu la clef. Peut-être les parents les laissaient-ils au pays, entre les mains de quelque entraîneur de natation ou de lancement du poids.)

— Avec le couteau de cuisine de monsieur Chang.

— Non : avec le rasoir de monsieur Ziegler.

— Et on les lui fera bouffer, tranchait un pragmatique qui trouvait secondaires ces compléments circonstanciels.

— Avec son... et son... comme assaisonnement.

— Très lentement, reprenait un amateur d'adverbes.

— Oui : il devra bien mâcher, disait un esprit glossateur.

— Et après, on le fera vomir, proférait un blasphémateur.

— Surtout pas ! Il serait trop content ! Il faut qu'il garde ça dans son ventre, se récriait un autre qui avait le sens du sacré.

— Même qu'on lui bouchera le..., pour que ça ne ressorte jamais, surenchérissait un confrère qui voyait loin.

— Oui, fit un disciple de saint Matthieu.

— Ça marchera pas, commenta un philistin que personne n'écoutait.

— Avec le ciment des ouvriers. Et on lui bouchera la bouche aussi, pour qu'il n'appelle pas à l'aide.

— On lui bouchera tout ! exulta un mystique.

— Le ciment chinois, c'est de la merde, observa un expert.

— Tant mieux. Comme ça, il sera bouché avec de la merde ! reprit le mystique en transe.

— Mais il va mourir, balbutia un pleutre qui se prenait pour la Convention de Genève.

— Non, fit le disciple de saint Matthieu.

— Nous l'en empêcherons. Ce serait trop facile.

— Il faut qu'il souffre jusqu'au bout !

— Quel bout ? s'enquit la Convention de Genève.

— La fin, quoi. Quand on le laissera filer chez sa maman en pleurant.

— La tête de la mère, quand elle verra comment on aura arrangé son sale môme !

— Ça lui apprendra à avoir des enfants allemands !

— Les seuls bons Allemands sont les Allemands bouchés au ciment chinois.

Cet aphorisme, juste assez cryptique pour susciter l'enthousiasme, fit hurler l'assemblée.

— D'accord. Mais avant ça, il faudra aussi lui arracher les cheveux, les sourcils et les cils.

— Et les ongles !

— On lui arrachera tout ! clama le mystique.

— Et on mélangera ça au ciment avant de le boucher, pour que ce soit plus solide.

— Ça lui fera un souvenir.

Ces exercices de style avaient quelque chose de pathétique, car très vite nous nous heurtions aux limites du langage, d'autant que nous capturions souvent une victime : il fallait des trésors d'imagination pour renouveler les surenchères sans les affadir.

Le corps étant moins vaste que le vocabulaire, nous explorions ce dernier avec un acharnement dont les lexicographes devraient prendre de la graine :

— Eh, ça s'appelle aussi testicules.

— Ou gonades.

— Gonades ! Comme une grenade !

— On lui dégoupillera les gonades !

— On en fera de la gonadine.

J'étais celle qui parlait le moins pendant ces tournois où les phrases couraient de l'un à l'autre comme le furet de la chanson. J'écoutais, subjuguée par tant d'éloquence et par une telle audace dans le Mal.

Les orateurs me donnaient l'impression de jongler à plusieurs avec une virtuosité qui durerait jusqu'à ce qu'un maladroit manque une balle. Aussi préférais-je rester hors jeu et guetter les multiples circulations de la parole. Moi, je ne parvenais à parler que seule, quand je pouvais jouer à l'otarie avec ma phrase, la hissant au bout de mon nez comme un ballon rouge.

Le pauvre petit Allemand avait eu le temps de mouiller sa culotte lorsque notre armée passait enfin de la théorie à la pratique. Il avait pu entendre tous les rires menaçants et les mitraillages verbaux. Souvent, il pleurait de peur quand les bourreaux s'approchaient de lui, pour notre plus grande joie :

— Mauviette !

— Gonade molle !

Hélas, tragédie du langage oblige, les choses restaient en dessous des mots. Et nous infligions des supplices très peu diversifiés.

En général, ça se limitait à une immersion dans l'arme secrète.

L'arme secrète comportait entre autres toutes nos urines, à l'exclusion de celles qui étaient réservées aux yaourts allemands. Nous mettions un zèle exemplaire à ne pas nous départir de ce précieux liquide ailleurs que dans la grande cuve commune. Cette dernière était installée au sommet de l'escalier de secours du bâtiment le plus élevé du ghetto, et gardée par les plus farouches d'entre nous.

(Longtemps, les adultes ou autres spectateurs se sont demandé pourquoi l'on voyait si souvent des enfants courir vers cet escalier de secours, l'air oppressé.)

A ces urines de moins en moins fraîches était incorporée une belle proportion d'encre de Chine — encre doublement de Chine.

Formule chimique assez simple, en somme, qui donnait lieu à un élixir verdâtre aux fragrances d'ammoniac.

L'Allemand était empoigné par les jambes et les bras et était immergé à fond dans la cuve.

Ensuite, nous nous débarrassions de l'arme secrète, estimant que la victime en avait corrompu la monstrueuse pureté. Et nous recommencions à conserver nos urines jusqu'au prisonnier suivant.

Si j'avais dû lire Wittgenstein à l'époque, je l'eusse trouvé tout à fait à côté de la question.

Sept propositions abstruses pour expliquer le monde, alors qu'une seule, et si simple, eût rendu compte du système entier !

Et je n'avais même pas dû réfléchir pour la trouver. Et je n'avais même pas dû la formuler pour la vivre. C'était une certitude acquise. Chaque matin, elle naissait avec moi :

« L'univers existe pour que j'existe. »

Mes parents, le communisme, les robes en coton, les contes des *Mille et Une Nuits*, les yaourts nature, le corps diplomatique, les ennemis, l'odeur de la cuisson des briques, l'angle droit, les patins à glace, Chou En-lai, l'orthographe et le boulevard de la Laideur Habitable : aucune de ces énumérations n'était superflue, puisque toutes ces choses existaient en vue de mon existence.

Le monde entier aboutissait à moi.

La Chine péchait par excès de modestie. Empire du Milieu ? Il suffisait d'entendre cet énoncé pour en comprendre les limites. La Chine serait le Milieu de la planète à condition de rester bien sagement à sa place.

Moi, je pouvais aller où je voulais : le centre de gravité du monde me suivait à la trace.

La noblesse, c'est aussi admettre ce qui va de soi. Il

ne fallait pas se cacher que le monde s'était préparé à mon existence depuis des milliards d'années.

La question de l'après-moi ne me préoccupait pas. Il faudrait sans doute quelques milliards d'années supplémentaires pour que les derniers exégètes aient fini de gloser mon cas. Mais cet aspect du problème avait si peu d'importance en regard de l'immédiateté vertigineuse de mes jours. Je laissais ces spéculations à mes glossateurs et aux glossateurs de mes glossateurs.

Ainsi, Wittgenstein était hors sujet.

Il avait commis une grave erreur : il avait écrit. Autant abdiquer tout de suite.

Aussi longtemps que les empereurs chinois n'écrivaient pas, la Chine était à l'apogée de son apogée. La décadence a commencé avec le premier écrit impérial.

Je n'écrivais pas, moi. Quand on a des ventilateurs géants à impressionner, quand on a un cheval à soûler de galop, quand on a une armée à éclairer, quand on a un rang à tenir et un ennemi à humilier, on redresse la tête et on n'écrit pas.

C'est pourtant là, au cœur de la Cité des Ventilateurs, que ma décadence a commencé.

Elle a débuté à l'instant où j'ai compris que le centre du monde, ce n'était pas moi.

Elle a débuté à l'instant où j'ai été émerveillée de découvrir qui était le centre du monde.

En été, j'allais toujours pieds nus. Les éclaireurs consciencieux ne devraient jamais porter de chaussures.

Ainsi, mes pas dans le ghetto faisaient aussi peu de bruit que le *tai chi shuan*, discipline interdite à l'époque et que quelques acharnés pratiquaient en cachette avec un silence terrifié.

Furtive et solennelle, je cherchais l'ennemi.

San Li Tun était un endroit si laid qu'il fallait une épopée ininterrompue pour être capable d'y survivre.

J'y survivais à merveille. L'épopée, c'était moi.

Une voiture inconnue s'arrêta devant le bâtiment d'à côté.

De nouveaux arrivants : de nouveaux étrangers à parquer au ghetto, pour qu'ils ne contaminent pas les Chinois.

La voiture contenait de grosses valises et quatre personnes, au nombre desquelles figurait le centre du monde.

Le centre du monde habitait à quarante mètres de chez moi.

Le centre du monde était de nationalité italienne et s'appelait Elena.

Elena devint le centre du monde dès que ses pieds touchèrent le sol bétonné de San Li Tun.

Son père était un petit Italien agité. Sa mère était une grande Indienne du Surinam, au regard aussi inquiétant que le Sentier Lumineux.

Elena avait six ans. Elle était belle comme un ange qui poserait pour une photo d'art.

Elle avait les yeux sombres, immenses et fixes, la peau couleur de sable mouillé.

Ses cheveux d'un noir de bakélite brillaient comme si on les avait cirés un à un et n'en finissaient pas de lui dévaler le dos et les fesses.

Son nez ravissant eût frappé Pascal d'amnésie.

Ses joues dessinaient un ovale céleste, mais rien

qu'à voir la perfection de sa bouche, on comprenait combien elle était méchante.

Son corps résumait l'harmonie universelle, dense et délicat, lisse d'enfance, aux contours anormalement nets, comme si elle cherchait à se découper mieux que les autres sur l'écran du monde.

Décrire Elena renvoyait le *Cantique des cantiques* au rang des inventaires de boucherie.

En un seul regard, on sentait qu'aimer Elena serait à la souffrance ce que Grevisse est à la grammaire française : un classique conspué et indispensable.

Elle portait ce jour-là une robe de cinéma en broderie anglaise blanche. J'eusse péri de honte si j'avais dû revêtir une telle tenue. Mais Elena n'appartenait pas à notre système de valeurs et sa robe faisait d'elle un ange en fleur.

Elle sortit de la voiture et ne me vit pas.

A peu de chose près, ce fut sa politique pendant toute l'année que nous devions passer ensemble.

A l'exemple des mystifications dont elle s'est inspirée, la Chine a ses lois du genre.

Petite leçon de grammaire.

Il est correct de dire : « J'ai appris à lire en Bulgarie », ou : « J'ai rencontré Eulalie au Brésil. » Mais il serait fautif de dire : « J'ai appris à lire en Chine », ou : « J'ai rencontré Eulalie en Chine. » On dit : « C'est en Chine que j'ai appris à lire », ou : « C'est à Pékin que j'ai rencontré Eulalie. »

Rien n'est moins innocent que la syntaxe.

En l'occurrence, il va de soi que ce gallicisme ne peut pas introduire quelque chose d'anodin.

Ainsi, on ne peut pas dire : « C'est en 1974 que je me suis mouchée », ou : « C'est à Pékin que j'ai lacé

mes souliers. » Ou alors, il faut au moins y ajouter :
« pour la première fois », sinon, l'énoncé cloche.

Conséquence surprenante : si les récits chinois
contiennent des actions si extraordinaires, c'est
avant tout pour des raisons grammaticales.

Et quand la syntaxe effleure la mythologie, le sty-
listicien est très content.

Et quand on a satisfait aux exigences du stylisti-
cien, on peut se risquer à écrire ceci : « C'est en
Chine que j'ai découvert la liberté. »

Exégèse de cette phrase scandaleuse : « C'est dans
la Chine épouvantable de la Bande des Quatre que
j'ai découvert la liberté. »

Exégèse de cette phrase absurde : « C'est dans le
ghetto carcéral de San Li Tun que j'ai découvert la
liberté. »

La seule excuse à une assertion aussi choquante,
c'est qu'elle est vraie.

Dans cette Chine de cauchemar, les étrangers
adultes étaient consternés. Ce qu'ils voyaient les
révoltait, ce qu'ils ne voyaient pas les révoltait plus
encore.

Leurs enfants, eux, étaient à la fête.

Les souffrances du peuple chinois ne les préoccu-
paient pas.

Et être parqués dans un ghetto de béton avec des
centaines d'enfants leur paraissait idyllique.

Pour moi encore plus que pour les autres, ce fut la
découverte de la liberté. Je venais de passer de lon-
gues années au Japon. J'ai fait mes maternelles dans
le système nippon — autant dire à l'armée. A la
maison, les gouvernantes prenaient grand soin de
moi.

A San Li Tun, personne ne veillait sur les enfants.
Nous étions si nombreux et l'espace était si exigu que

cela ne paraissait pas nécessaire. Et par une sorte de loi non écrite, dès leur arrivée à Pékin, les parents fichaient la paix à leur progéniture. Ils sortaient tous les soirs ensemble pour ne pas sombrer dans la dépression et nous laissaient entre nous. Avec la naïveté typique de leur âge, ils pensaient que nous étions fatigués et que nous nous couchions à neuf heures.

Chaque soir, nous déléguions un responsable qui surveillait les adultes et annonçait leur retour. C'était alors la débandade générale. Les enfants couraient rejoindre leurs geôles respectives, sautaient au lit tout habillés et faisaient semblant de dormir.

Car la guerre n'était jamais aussi belle que la nuit. Les cris de peur de l'ennemi résonnaient mieux dans l'obscurité, les embuscades y gagnaient en mystère et mon rôle d'éclaireur approfondissait son sens lumineux : sur mon cheval qui allait l'amble, je me sentais comme une torche vivante. Je n'étais pas Prométhée, j'étais le feu, je me dérobais moi-même et, au comble de l'exaltation, j'observais le parcours furtif de ma lueur sur les ténèbres immenses des murs chinois.

La guerre était le plus noble des jeux. Le mot sonnait comme un coffre à trésor : on le forçait pour l'ouvrir et l'éclat des joyaux nous jaillissait au visage — doublons, perles et gemmes, mais surtout folle violence, risques somptueux, pillage, terreur incessante et, enfin, diamant des diamants, la licence, la liberté qui nous sifflait aux oreilles et nous faisait titans.

Belle affaire que de ne pouvoir sortir du ghetto ! La liberté ne se calculait pas en mètres carrés disponibles. La liberté, c'était d'être enfin livrés à nous-mêmes. Les adultes ne peuvent pas faire plus beau cadeau aux enfants que de les oublier.

Oubliés des autorités chinoises et des autorités parentales, les enfants de San Li Tun étaient les seuls individus de toute la Chine populaire. Ils en avaient l'ivresse, l'héroïsme et la méchanceté sacrée.

Jouer à autre chose qu'à la guerre eût été déchoir. C'est ce qu'Elena ne voulut jamais comprendre.

Elena ne voulait rien comprendre.

Dès le premier jour, elle se conduisit comme si elle avait déjà tout compris. Et elle était très convaincante. Elle possédait des opinions et ne cherchait jamais à les prouver. Elle parlait peu, avec une assurance hautaine et désinvolte.

— Je n'ai pas envie de jouer à la guerre. Ce n'est pas intéressant.

Je fus soulagée d'être la seule à avoir entendu un tel blasphème. J'étoufferais l'affaire. Il ne fallait surtout pas que les Alliés puissent penser du mal de ma bien-aimée.

— La guerre est magnifique, rectifiai-je.

Elle sembla ne pas entendre. Elle avait un don pour paraître ne pas écouter.

Elle avait toujours l'air de n'avoir besoin de rien ni de personne.

Elle vivait comme s'il lui suffisait infiniment d'être la plus belle et d'avoir de si longs cheveux.

Je n'avais jamais eu d'ami ou d'amie. Je n'y avais même pas songé. A quoi m'eussent-ils servi ? J'étais enchantée de ma compagnie.

J'avais besoin de parents, d'ennemis et de compagnons d'armes. Dans une moindre mesure, j'avais besoin d'esclaves et de spectateurs — question de standing.

Ceux qui n'appartenaient pas à l'une de ces cinq catégories pouvaient aussi bien se passer d'exister.

A fortiori les éventuels amis.

Mes parents avaient des amis. C'étaient des gens qu'ils voyaient pour boire ensemble des alcools de toutes les couleurs. Comme s'ils ne pouvaient pas les boire sans eux !

A part ça, les amis servaient à parler et à écouter. On leur racontait des histoires dénuées de signification, ils riaient très fort et en racontaient d'autres. Et puis ils mangeaient.

Parfois, les amis dansaient. C'était un spectacle consternant.

Bref, les amis étaient une espèce de gens que l'on rencontrait pour se livrer en leur compagnie à des comportements absurdes, voire grotesques, ou alors pour s'adonner à des activités normales mais auxquelles ils n'étaient pas nécessaires.

Avoir des amis était un signe de dégénérescence.

Mon frère et ma sœur avaient des amis. De leur part, c'était excusable, puisque ces gens étaient aussi leurs compagnons d'armes. L'amitié naissait de la fraternité au combat. Il n'y avait pas à en rougir.

Moi, j'étais éclaireur. Je guerroyais seule. Avoir des amis, c'était bon pour les autres.

Quant à l'amour, il me concernait moins encore. C'était une bizarrerie liée à la géographie : les contes des *Mille et Une Nuits* en signalaient de fréquents accès dans les pays du Moyen-Orient. J'étais trop à l'est.

Contrairement à ce que l'on pourrait croire, mon attitude à l'égard d'autrui échappait à la vanité. Elle n'était que logique. L'univers aboutissait à moi : ce n'était pas ma faute, je ne l'avais pas décidé. C'était une donnée avec laquelle je devais composer. Pourquoi me serais-je embarrassée d'amis ? Ils n'avaient pas de rôle à jouer dans mon existence. J'étais le centre du monde : ils ne pouvaient pas me mettre plus au centre.

La seule relation qui comptât était celle que l'on entretenait avec son cheval.

Ma rencontre avec Elena ne fut pas une passation de pouvoirs — je n'en avais aucun et ne m'en souciais pas — mais un déplacement intellectuel : désormais, le centre du monde se situait en dehors de moi. Et je faisais tout pour m'en rapprocher.

Je découvris qu'il ne suffisait pas d'être près d'elle. Il fallait aussi que je compte à ses yeux. Ce n'était pas le cas. Je ne l'intéressais pas. A vrai dire, rien ne semblait l'intéresser. Elle ne regardait rien et ne disait rien. Elle avait l'air contente d'être à l'intérieur d'elle-même. Pourtant, on sentait qu'elle se sentait regardée et que cela lui plaisait.

Il me faudrait du temps pour comprendre qu'une seule chose importait à Elena : être regardée.

Ainsi, sans le savoir, je la rendais heureuse : je la mangeais des yeux. Il m'était impossible de la lâcher du regard. Je n'avais jamais rien vu d'aussi beau. C'était la première fois de ma vie que la beauté de quelqu'un me frappait. J'avais déjà rencontré beaucoup de belles personnes mais elles n'avaient pas retenu mon attention. Pour des raisons qui m'échappent encore, la beauté d'Elena m'obsédait.

Je l'ai aimée dès la première seconde. Comment expliquer de telles choses ? Je n'avais jamais pensé à aimer qui que ce fût. Je n'avais jamais songé que la beauté de quelqu'un pût susciter un sentiment. Et pourtant tout s'était enclenché à l'instant où je l'avais vue, avec une autorité sans faille : elle était la plus belle, donc je l'aimais, donc elle devenait le centre du monde.

Le mystère se prolongeait. Je comprenais que je ne pouvais me contenter de l'aimer : il fallait aussi qu'elle m'aimât. Pourquoi ? C'était comme ça.

Je la mis au courant en toute simplicité. Il était naturel que je doive l'informer :

— Il faut que tu m'aimes.

Elle daigna me regarder, mais c'était un regard dont je me serais passée. Elle eut un petit rire méprisant. Il était clair que je venais de dire une idiotie. Il fallait donc lui expliquer pourquoi ce n'en était pas une :

— Il faut que tu m'aimes parce que je t'aime. Tu comprends ?

Il me semblait qu'avec ce supplément de données tout rentrerait dans l'ordre. Mais Elena se mit à rire plus fort.

Je ressentis une blessure confuse.

— Pourquoi tu rigoles ?

D'une voix sobre, hautaine et amusée, elle répondit :

— Parce que tu es bête.

Ainsi fut accueillie ma première déclaration d'amour.

Je découvrais tout en même temps : éblouissement, amour, altruisme et humiliation.

Cette tétralogie me fut jouée dans l'ordre dès le premier jour. J'en conclus qu'il devait y avoir des liens logiques entre ces quatre accidents. Il eût donc mieux valu éviter le premier, mais il était trop tard.

Quoi qu'il en fût, je n'étais pas sûre d'avoir eu le choix.

Et je trouvais cette situation très regrettable. Car elle me faisait aussi découvrir la souffrance. Cette dernière me parut extraordinairement déplaisante.

Pourtant, je ne parvenais pas à regretter d'aimer Elena, ni à regretter qu'elle existât. On ne pouvait pas déplorer qu'une chose pareille fût. Et si elle était, il était inévitable de l'aimer.

Dès la première seconde où je l'ai aimée — c'est-à-dire dès la première seconde —, j'ai pensé qu'il fallait faire quelque chose. Ce leitmotiv s'imposa tout seul et ne me lâcha plus jusqu'à la fin de cet amour.

« Il faut faire quelque chose.

« Parce que j'aime Elena, parce qu'elle est la plus belle, parce qu'il y a sur terre une personne aussi vénérable, parce que je l'ai rencontrée, parce que — même si elle l'ignore — elle est mon amoureuse, il faut faire quelque chose.

« Quelque chose de grand, de superbe — une chose digne d'elle et de mon amour.

« Tuer un Allemand par exemple. Mais on ne me laissera pas le faire. Les victimes, on finit toujours par les relâcher vivantes. Encore un coup des adultes et de la Convention de Genève. Cette guerre est truquée.

« Non. Une chose que je pourrais faire seule. Une chose qui impressionnerait Elena. »

Je ressentis une bouffée de désespoir, ce qui eut pour effet de me couper les jambes. Je tombai assise sur le béton. La conviction de mon impuissance me rendait incapable d'esquisser un mouvement.

Je voulais ne plus jamais bouger. Je voulais me morfondre. Je resterais là, assise sur le béton, sans rien faire, sans boire, sans manger, jusqu'à ma mort.

Je mourrais très vite et ma bien-aimée serait très impressionnée.

Non, ça ne marcherait pas. On viendrait m'enlever de force et on me ferait boire et manger avec un entonnoir. Les adultes me rendraient ridicule.

Alors ce serait le contraire. Puisque je n'avais pas le droit d'être immobile, je bougerais. On allait voir ce qu'on allait voir.

Il me fallut un effort prodigieux pour remuer ce corps que la souffrance avait changé en pierre.

Je courus aux écuries et j'enfourchai ma monture d'un bond.

Les sentinelles me laissèrent sortir sans problème.

(La légèreté de la garde chinoise m'étonnait toujours. J'étais un peu offusquée qu'on ne me trouvât pas plus suspecte. En trois ans de San Li Tun, on ne m'avait jamais fouillée. Il y avait quelque chose de pourri dans le système.)

Boulevard de la Laideur Habitable, je lançai mon cheval dans le galop le plus étourdissant de l'histoire de la vitesse.

Rien ne pouvait l'arrêter. Je ne saurais dire qui du coursier ou du cavalier était le plus ivre. Nous nous étions emballés de conserve. Mon cerveau ne tarda pas à traverser le mur du son. Un hublot de la carlingue vola en éclats et l'intérieur de ma tête fut aspiré par l'extérieur en une seconde. Un vide strident m'emplit le crâne et je perdis la souffrance en même temps que la pensée.

Mon cheval et moi n'étions plus rien qu'un bolide lâché dans la Cité des Ventilateurs.

A l'époque, il n'y avait presque pas de voitures à Pékin. On pouvait galoper sans s'arrêter aux croisements, sans regarder, sans faire attention.

Ma course hallucinée dura quatre heures.

Quand je revins au ghetto, je n'étais plus qu'un ahurissement.

« Il faut faire quelque chose. » J'avais fait quelque chose : je m'étais fondue dans la vitesse pendant des heures à travers la ville.

Evidemment, Elena n'en avait rien su. D'une certaine façon, ce n'en était que plus beau.

La noblesse de cette course désintéressée m'enorgueillissait. Mais ne pas avertir Elena de mon orgueil eût été du gaspillage.

Le lendemain, je vins à elle avec un visage pénétré d'ésotérisme.

Elle ne daigna pas me voir.

Je n'avais pas d'inquiétude. Elle me verrait.

Je m'assis à côté d'elle sur le mur et je dis d'un ton détaché :

— J'ai un cheval.

Elle me regarda d'un air incrédule. Je jouissais.

— Un cheval en peluche ?

— Un cheval sur lequel je galope partout.

— Un cheval, ici, à San Li Tun ? Mais où est-il ?

Sa curiosité m'enchanta. Je fonçai aux écuries et revins au dos de ma monture.

D'un regard, ma bien-aimée comprit la situation.

Elle haussa les épaules et dit avec une indifférence totale, sans même me faire l'aumône d'une raillerie :

— Ce n'est pas un cheval, c'est un vélo.

— C'est un cheval, assurai-je calmement.

Ma conviction sereine ne servit à rien. Elena n'écoutait plus.

A Pékin, posséder un beau grand vélo était aussi normal que de posséder des jambes. Le mien avait pris dans ma vie une telle dimension mythologique qu'il avait accédé au statut équestre.

A mes yeux, cette vérité était si établie qu'il ne m'avait fallu aucune foi pour montrer l'animal. Je n'avais même pas pensé qu'Elena pourrait y voir autre chose qu'un cheval.

C'est une chose qui me paraît encore absconse aujourd'hui. Je ne vivais aucune fantasmagorie puérile, je ne m'étais pas forgé une féerie de substitution. Ce vélo était un cheval, c'était comme ça. Je ne me souvenais pas d'un moment où j'avais décidé quoi que ce fût. Ce cheval avait toujours été un cheval. Il ne pouvait pas en être autrement. Cet animal de chair et de sang faisait autant partie de la réalité objective que les ventilateurs géants dont je toisais les visages au cours de mes promenades. Et en toute sincérité j'avais cru que le centre du monde verrait comme moi.

Je n'en étais qu'au deuxième jour et cet amour mettait en péril mon univers mental.

En comparaison, la révolution copernicienne était une plaisanterie. Je m'en tirerais par de l'obstination. Mon parti pris tiendrait en une phrase : « Elena est aveugle. »

La seule manière de cesser de souffrir, c'est de n'avoir plus que du vide dans la tête. La seule manière de se vider la tête à fond, c'est d'aller le plus vite possible, c'est de lancer son cheval au galop, c'est de caler son front contre le vent, c'est de n'être plus que le prolongement de son coursier, la corne de la licorne, avec pour seule mission de fendre les airs — jusqu'à la joute finale où l'éther l'emportera, où le cavalier et sa monture, perdus dans leur emballement, seront désintégrés et absorbés par l'invisible, aspirés et pulvérisés par les Ventilateurs.

Elena est aveugle. Ce cheval est un cheval. Dès

qu'il y a libération par la vitesse et le vent, il y a cheval. J'appelle cheval non pas ce qui a quatre jambes et produit du crottin, mais ce qui maudit le sol et m'en éloigne, ce qui me hisse et me force à ne pas tomber, ce qui me piétinerait à mort si je cédais à la tentation de la boue, ce qui me fait danser le cœur et hennir le ventre, ce qui me jette dans une allure si frénétique que je dois plisser les paupières, car la lumière la plus pure n'éblouira jamais autant que la gifle de l'air.

J'appelle cheval cet endroit unique où il est possible de perdre tout ancrage, toute pensée, toute conscience, toute idée du lendemain, pour ne plus être qu'un élan, pour n'être que ce qui déferle.

J'appelle cheval cet accès à l'infini et j'appelle chevauchée ce moment où je rencontre les multitudes de Mongols, de Tartares, de Sarrasins, de Peaux-Rouges ou autres frères de galop qui ont vécu pour être cavaliers, c'est-à-dire pour être.

J'appelle cavalcade l'esprit qui rue des quatre fers, et je sais que mon vélo a quatre fers et qu'il rue et que c'est un cheval.

J'appelle chevalier celui que son cheval a arraché à l'enlisement, celui que son cheval a rendu à la liberté qui siffle aux oreilles.

C'est pourquoi jamais cheval n'a autant mérité le nom de cheval que le mien.

Si Elena n'était pas aveugle, elle verrait que ce vélo est un cheval et elle m'aimerait.

Je n'en étais qu'au deuxième jour et à deux reprises déjà j'avais perdu la face.

Pour les Chinois, perdre la face constitue ce qui peut arriver de plus grave.

Je n'étais pas chinoise mais je pensais la même

chose. Cette double humiliation me disqualifiait en profondeur. Il faudrait une action d'éclat pour laver mon honneur. Elena ne m'aimerait pas à moins.

J'attendais l'occasion avec hargne.

Je redoutais le troisième jour.

Chaque fois que nous torturions un petit Allemand, le camp adverse rossait l'un des nôtres en guise de représailles. D'où vengeance, etc.

D'expédition punitive en expédition punitive, les forces en présence purent légitimer tous leurs crimes.

C'est ce qu'on appelle la guerre.

On se moque des enfants qui justifient leurs mauvais coups par ce gémissement : « C'est lui qui a commencé ! » Or, aucun conflit adulte ne trouve sa genèse ailleurs.

A San Li Tun, c'était les Alliés qui avaient commencé. Mais l'un des vices de l'Histoire est que l'on situe les débuts où l'on veut.

Les Allemands de l'Est ne manquaient jamais de signaler notre première attaque au sein du ghetto.

Nous, nous trouvions mesquines ces limitations géographiques. La guerre n'avait pas commencé à Pékin en 1972. Son origine était européenne et remontait à 1939.

Quelques intellectuels en herbe firent remarquer qu'il y avait eu l'armistice de 1945. Nous les traitâmes de naïfs. En 1945, il s'était passé la même chose qu'en 1918 : les soldats avaient levé les pouces pour souffler.

Nous avions soufflé et l'ennemi n'avait pas changé. Comme quoi tout ne foutait pas le camp.

L'un des épisodes les plus terribles de la guerre fut la bataille de l'hôpital et ses conséquences.

Parmi les secrets militaires que chaque Allié avait à taire, il y avait l'hôpital.

Nous avions laissé la fameuse caisse de déménagement à sa place initiale. De l'extérieur, notre installation était invisible.

La règle était qu'il fallait entrer à l'hôpital de la manière la plus subreptice possible, et toujours un à un. Cela ne posait aucun problème : le container longeait un mur près de la briqueterie. S'y faufiler sans être vu était — on peut le dire — un jeu d'enfant.

D'ailleurs, il n'y avait pas d'espions plus médiocres que les Allemands. Ils n'avaient localisé aucune de nos bases. La guerre était trop facile avec eux.

A moins d'un mouchard, nous n'avions rien à craindre. Et il était impossible qu'il y eût un traître parmi nous. Si nos rangs comportaient quelques lâches, ils ne comptaient aucun félon.

Tomber aux mains de l'ennemi consistait à se faire rosser : c'était un mauvais moment à passer mais nous le supportions tous. Nous trouvions que ce genre de sévice ne constituait pas une torture. Il ne nous fût jamais venu à l'esprit que l'un des nôtres eût pu trahir un secret militaire pour se dérober à un châtiment aussi insignifiant.

Ce fut pourtant ce qui se produisit.

Elena avait un frère âgé de dix ans. Autant elle impressionnait par sa beauté et sa hauteur, autant Claudio incarnait le ridicule. Non qu'il fût laid ou contrefait, mais il se dégageait de ses moindres attitudes une afféterie veule, une petitesse et un manque de conviction qui énervaient dès les premières minutes. En plus, à l'exemple de sa sœur, il était toujours tiré à quatre épingles, sa raie sur le côté ne déviait jamais, ses cheveux trop bien peignés brillaient de propreté et ses vêtements repassés dans les plis semblaient sortis d'un catalogue de mode pour enfants d'apparatchiks.

Nous le haïssions tous pour ces motifs excellents.

Nous ne pouvions cependant pas lui refuser l'enrôlement. Elena trouvait la guerre ridicule et nous regardait de haut. Claudio, lui, y vit un moyen d'intégration sociale et se prostitua pour être admis parmi nous.

Il le fut. Nous ne pouvions pas risquer de nous brouiller avec nos nombreux soldats italiens — dont la précieuse Jihan — en n'acceptant pas l'un de leurs compatriotes. C'était d'autant plus irritant qu'eux-mêmes détestaient le nouveau, mais leur susceptibilité regorgeait de paradoxes déroutants.

Ce n'était pas grave. Claudio serait un mauvais soldat, voilà tout. L'armée ne pouvait pas compter que des héros.

Deux semaines après son adoubement, lors d'une empoignade, le frère d'Elena fut capturé par les Allemands. Nous n'avions jamais vu quelqu'un se défendre aussi mal et courir aussi lentement.

Au fond, nous étions contents. L'idée des coups qu'il allait recevoir nous faisait jubiler. Nous en éprouvions une véritable sympathie pour l'ennemi, d'autant que le petit Italien était douillet comme personne et que sa mère le couvait jusqu'au paroxysme.

Claudio revint en boitant. Il ne portait aucune trace de gnons ou autres meurtrissures. Il dit en pleurnichant que les Allemands lui avaient tordu le pied à 360 degrés. Nous fûmes étonnés de ces nouvelles manières.

Le lendemain, une offensive teutonne réduisit l'hôpital en sciure de bois et le frère d'Elena oublia de boiter. Nous avions compris. Claudio parlait mal l'anglais, mais suffisamment pour trahir.

(L'anglais était notre langue de communication avec l'ennemi. Comme nos échanges se limitaient en général à des coups ou à des tortures, nous n'avions jamais à nous servir de cet idiome. Tous les Alliés parlaient français : ce phénomène me paraissait aller de soi.)

Les soldats italiens furent les plus empressés à réclamer un châtiment pour le mouchard. Nous tenions conseil de guerre quand Claudio nous révéla l'ampleur de sa lâcheté : sa mère en personne vint nous intimer l'ordre d'épargner le pauvre petit. « Et si vous touchez à un cheveu de mon fils, je vous flanquerai la raclée de votre vie ! » nous dit-elle avec un regard effrayant.

L'accusé fut gracié mais devint le symbole vivant de la bassesse. Nous le méprisions à un point extraordinaire.

Tout m'était bon pour nouer des liens avec Elena. Elle avait certainement eu vent de l'affaire à travers son frère et sa mère. Je lui racontai notre version.

Son air hautain ne put cacher une certaine douleur. Je la comprenais : si André ou Juliette s'étaient rendus coupables d'une telle félonie, leur déshonneur eût rejailli sur moi.

C'était d'ailleurs dans cette perspective que j'avais dit la chose à Elena. Je voulais être celle qui la verrait vulnérable. Or, une créature aussi sublime ne pouvait avoir d'autre point faible que son frère.

Il allait de soi qu'elle ne s'avouerait pas vaincue.

— De toute façon, la guerre est ridicule, dit-elle avec son dédain habituel.

— Ridicule ou pas, Claudio a pleuré pour faire cette guerre avec nous.

Elle savait que mon argument était imparable. Elle n'y répondit pas et se calfeutra dans son silence suffisant.

Mais l'espace d'un instant je l'avais vue souffrir. Pendant une seconde, elle n'avait pas été hors d'atteinte.

Je ressentis cela comme une bouleversante victoire amoureuse.

A l'aube, dans mon lit, je repassai la scène.

Il me semblait vraiment avoir touché au sublime.

Existe-t-il, au sein de quelque culture mondiale, un épisode mythologique de ce genre : « L'amoureux éconduit, dans l'espoir d'atteindre l'inaccessible bien-aimée, vient lui annoncer que son frère a trahi » ?

A ma connaissance, une telle scène n'a trouvé nulle part son illustration tragique. Les grands classiques n'auraient pas admis une conduite aussi basse.

Le côté méprisable de cette attitude m'échappait totalement. Et même si j'en avais été consciente, je ne pense pas que cela m'eût dérangée : cet amour m'inspirait un tel oubli de moi que je n'eusse pas hésité à me couvrir d'opprobre. Qu'importait ma valeur, désormais ? Elle n'importait pas puisque je n'étais rien. Aussi longtemps que j'avais été le centre du monde, j'avais eu un rang à tenir. A présent, c'était au rang d'Elena qu'il fallait veiller.

Je bénissais l'existence de Claudio. Sans lui,

aucune brèche, aucun accès, sinon au cœur, au moins à l'honneur de ma bien-aimée.

Je repassais la scène : moi, venant au-devant de son indifférence coutumière. Elle, belle, seulement belle, ne daignant pas faire autre chose qu'être belle.

Et puis les paroles honteuses : ton frère, ma bien-aimée, ton frère que tu n'aimes pas — tu n'aimes personne, sauf toi-même — mais qui est ton frère, inséparable de ton prestige, ton frère, ma divine, est un pleutre et un félon de première classe.

Ce moment infime et sublime où j'avais vu que, à cause de ma nouvelle, quelque chose, en toi, quelque chose d'indéfinissable — et donc d'important — était à nu ! Par moi !

Mon but n'avait pas été de te faire souffrir. D'ailleurs, le but de cet amour m'était inconnu. Seulement, pour servir ma passion, il avait fallu que je provoque en toi une émotion vraie, n'importe laquelle.

Cette petite douleur derrière ton regard, quelle consécration pour moi !

Je repassais la scène avec arrêt sur image. Une transe amoureuse s'emparait de moi. Désormais, pour Elena, je serais quelqu'un.

Il faudrait continuer. Elle allait encore souffrir. J'étais trop lâche pour faire du mal moi-même, mais je m'efforcerais de trouver toutes les informations qui pussent la blesser, et je ne manquerais jamais d'être celle qui apporte la mauvaise nouvelle.

J'en arrivais à nourrir des rêves incongrus. La mère d'Elena se tuerait au volant. L'ambassadeur d'Italie dégraderait son père. Claudio se promènerait avec un pantalon troué aux fesses, sans en être conscient, et serait la risée du ghetto.

Autant de catastrophes qui obéissaient à cette

règle : ne jamais atteindre la personne même d'Elena, mais ceux qui comptaient pour elle.

Ces fantasmes me ravissaient au plus profond de mon être. J'arrivais au-devant de ma bien-aimée, l'air terriblement grave, et je disais d'une voix lente, solennelle : « Elena, ta mère est morte », ou : « Ton frère a perdu son honneur. »

La douleur te fouettait le visage : vision qui me transperçait le cœur et qui me faisait t'aimer plus encore.

Oui, ma bien-aimée, tu souffres par moi, ce n'est pas que j'aime la souffrance, si je pouvais te donner du bonheur, ce serait mieux, seulement j'ai bien compris que ce n'était pas possible, pour que je sois capable de t'apporter du bonheur, il faudrait d'abord que tu m'aimes, et tu ne m'aimes pas, tandis que pour te donner du malheur, il n'est pas nécessaire que tu m'aimes, et puis, pour te rendre heureuse, il faudrait d'abord que tu sois malheureuse — comment rendre heureux quelqu'un d'heureux —, donc, il faut que je te rende malheureuse pour avoir une chance de te rendre heureuse après, de toute façon, ce qui compte, c'est que ce soit à cause de moi, ma bien-aimée, si tu pouvais éprouver pour moi le dixième de ce que j'éprouve pour toi, tu serais heureuse de souffrir, à l'idée du plaisir que tu me ferais en souffrant.

Je me pâmais de délices.

Il fallut trouver un nouvel hôpital.

Il n'était plus question de nous installer dans une caisse de déménagement. En fait, nous n'avions pas l'embarras du choix. Il fut inévitable d'administrer les soins de santé au même endroit où nous préparions et conservions l'arme secrète. Ce n'était pas très hygiénique, mais la Chine nous avait habitués à la saleté.

Les lits de *Renmin Ribao* furent donc reconstitués au dernier étage de l'escalier de secours de l'immeuble le plus élevé de San Li Tun. La cuve à urine trônait au centre de ce dortoir acrobatique.

Les Allemands avaient été assez bêtes pour épargner nos réserves de gaze stérile, de vitamine C et de soupes en sachets. Elles furent entreposées dans des sacs à dos que nous suspendîmes aux rampes de l'escalier métallique. Comme la pluie était rarissime à Pékin, notre installation ne risquait pas grand-chose. Mais cette base secrète devenait beaucoup plus visible. Il eût suffi que les Teutons lèvent le nez et regardent avec attention pour nous repérer. Nous n'avions jamais été assez stupides pour y transporter un prisonnier : quand nous voulions torturer une victime, nous descendions l'arme secrète.

La guerre prit alors une dimension politique inattendue.

Un matin, nous voulûmes monter au camp. Stupeur : la porte d'accès à l'escalier de secours avait été cadenassée.

Et il ne fut pas difficile de déterminer que ce cadenas n'était pas allemand. Il était chinois.

Ainsi, les gardes du ghetto avaient repéré notre installation. Elle leur avait déplu au point qu'ils prirent cette mesure monstrueuse : condamner un escalier de secours — le seul escalier de secours du plus grand immeuble de San Li Tun ; en cas d'incendie, ses habitants n'auraient qu'à se jeter par la fenêtre.

Ce scandale nous fit exulter de joie.

Il y avait de quoi. N'y a-t-il pas un bonheur extrême à apprendre que l'on a un nouvel ennemi ?

Et quel ennemi ! La Chine ! Vivre dans ce pays nous adoubait déjà. Nous battre contre lui nous élevait au rang de héros.

Un jour, nous pourrions dire à nos descendants, avec la voix sobre de la grandeur, que nous avions guerroyé, à Pékin, contre les Allemands et contre les Chinois. Le sommet de la gloire.

En supplément, cette nouvelle merveilleuse : notre ennemi était idiot. Il construisait des escaliers de secours et les cadenassait. Cette inconséquence nous enchantait. Autant bâtir une piscine et ne pas y mettre une goutte d'eau.

En outre, nous nous prenions à espérer cet incendie. Après enquête, il serait révélé à la face du monde que le peuple chinois avait pour ainsi dire condamné à mort des centaines d'étrangers. Et en plus d'être des héros, nous serions élevés au statut d'opprimés politiques — de martyrs internationaux. En vérité, nous n'aurions pas perdu notre temps, dans ce pays.

(Nous étions bien naïfs. En cas d'incendie et d'enquête subséquente, le scandale du cadenas eût été soigneusement étouffé.)

Il allait de soi que nous cacherions aux parents une affaire aussi juteuse. S'ils intervenaient, nous n'aurions plus aucune chance de devenir des martyrs. Et puis, nous détestions que les adultes se mêlent de nos histoires. Ils affadissaient tout. Ils n'avaient pas le moindre sens épique. Ils ne pensaient qu'aux droits de l'homme, au tennis et au bridge. Ils ne semblaient pas se rendre compte que, pour une fois dans leur vie insignifiante, on leur donnait l'occasion d'être des héros.

Comble de vulgarité, ils tenaient à l'existence. Nous aussi, d'ailleurs, mais à condition que nous pussions lui conférer notre prestige, en la sacrifiant, par exemple, à un bel incendie.

(En fait, si cet incendie avait eu lieu, nous en eussions porté une part de responsabilité égale à celle des gardes chinois. Nous en étions vaguement conscients sans que cela nous perturbât. Moi, je m'en fichais d'autant plus que ni Elena ni ma famille n'habitaient cet immeuble.)

L'excellente nouvelle comportait cependant un inconvénient non négligeable : nous n'avions plus accès au camp.

Mais l'énoncé du problème comportait sa solution : le cadenas était chinois.

Une lime à ongles en métal léger suffit à l'anéantir.

Et pour que les gardes ne s'inquiètent pas, nous eûmes la présence d'esprit d'acheter un autre cadenas chinois identique et intact, dont nous possédions les clefs, et de le mettre à la place de l'ancien.

Ainsi, en cas d'incendie, nous devenions les principaux criminels, puisqu'en fin de course ce serait notre cadenas qui condamnerait à mort les fuyards.

De cela aussi, nous étions vaguement conscients. Ce n'était pas un problème. Nous vivions à Pékin, pas à Genève. Nous n'avions jamais eu l'intention de nous livrer à une guerre propre.

Nous ne désirions pas particulièrement qu'il y ait des morts. Mais s'il devait y en avoir pour que la guerre continue, il y en aurait.

De toute façon, ce genre de considérations secondaires ne nous obsédait pas.

De minimis non curat praetor. Il était normal que les adultes, ces enfants déchus, perdent, à se soucier de ces questions, un temps dont ils n'avaient pas d'usage sérieux.

Nous, nous avions un sens si aigu des valeurs

humaines que nous ne parlions quasi jamais des plus de quinze ans. Ils appartenaient à un monde parallèle, avec lequel nous vivions en bonne intelligence puisque nous ne nous croisions pas.

Nous n'abordions pas non plus l'inepte question de notre avenir. Peut-être parce qu'instinctivement nous avions tous trouvé la seule vraie réponse : « Quand je serai grand, je penserai à quand j'étais petit. »

Il allait de soi que l'âge adulte était voué à l'enfance. Les parents et leurs complices étaient sur terre pour que leurs rejetons n'aient pas à se soucier de questions ancillaires comme la nourriture et le gîte — pour qu'ils puissent assumer à fond leur rôle essentiel, être enfants, c'est-à-dire être.

Ces gosses qui dissertent de leur futur m'ont toujours intriguée. Lorsqu'on me posait la fameuse question : « Qu'est-ce que tu feras quand tu seras grande ? », je répondais invariablement que je « ferais » Prix Nobel de médecine ou martyre, ou les deux à la fois. Et je répondais très vite, non pour impressionner, au contraire : cette réponse pré-mâchée me servait à évacuer au plus pressé ce sujet absurde.

Plus abstrait qu'absurde : en mon for intérieur, j'étais persuadée que je ne deviendrais jamais adulte. Le temps durait trop longtemps pour que cette chose puisse arriver. J'avais sept ans : ces quatre-vingt-quatre mois m'avaient paru interminables. Ma vie était d'une longueur ! La simple idée que je pusse encore vivre un nombre égal d'années me donnait le vertige. Sept ans supplémentaires ! Non. Ce serait trop. Je m'arrêterais sans doute à dix ou onze ans, au comble de la saturation. Je me sentais déjà presque saturée, d'ailleurs : il m'était arrivé tant de choses !

Ainsi, quand je parlais de mon Nobel de médecine ou du martyre, ce n'était pas vanité : c'était une réponse abstraite à une question abstraite. Et puis, je ne voyais rien de si grandiose à ces professions. Le seul métier qui m'inspirât un respect véritable était celui de soldat, et en particulier celui d'éclaireur. Le sommet de ma carrière, je le vivais au présent. Après — s'il y avait un après — il faudrait bien déchoir et se contenter du Nobel. Mais au fond de moi je ne croyais pas en cet après.

Cette incrédulité en accompagnait une autre : quand les adultes parlaient de leur enfance, je ne pouvais m'empêcher de penser qu'ils mentaient. Ils n'avaient pas été enfants. Ils étaient adultes de toute éternité. La déchéance n'existait pas, car les enfants restaient des enfants, comme les adultes restaient des adultes.

Cette conviction informulée, je la gardais en moi. Je me rendais bien compte que je ne pourrais pas la défendre : j'y croyais d'autant plus fort.

Elena ne raconta à personne que mon vélo était un cheval, ou inversement.

De sa part, ce ne fut pas le signe d'une bonté particulière : c'était parce que je n'avais aucune importance. Elle ne parlait pas des quantités négligeables.

D'ailleurs, elle parlait peu. Et elle ne prenait jamais la parole elle-même : elle se contentait de répondre aux questions qui ne lui paraissaient pas indignes d'elle.

— Tu feras quoi quand tu seras grande ? demandai-je, par simple goût de l'expérimentation scientifique.

Pas de réponse.

A posteriori, son attitude confirme mes vues. Les enfants qui trouvent une réponse à pareille question sont soit de faux enfants (il y en a beaucoup), soit des enfants qui ont le goût de l'abstraction et de la spéculation pure (c'était mon cas).

Elena était un vrai enfant qui n'avait pas une tournure d'esprit spéculative. Pour elle, répondre à une question aussi bête eût été s'abaisser. Car cette interrogation stupide équivaudrait à demander à un funambule ce qu'il ferait s'il était comptable.

— D'où elle vient, ta robe ?

Là, elle daignait répondre. C'était le plus souvent :

— Maman l'a faite. Elle coud très bien.

Ou alors :

— Maman me l'a achetée à Turin.

C'était la ville d'où elle venait. Bagdad ne me paraissait pas plus extraordinaire.

Elle portait surtout des vêtements blancs. Cette couleur lui allait à ravir.

Ses cheveux lisses étaient tellement longs que, même nattés, ils lui descendaient jusqu'aux fesses. Sa mère n'eût jamais autorisé une Chinoise à les toucher : c'était elle qui, lentement, passionnément, entretenait le trésor de sa fille.

Je préférais n'avoir qu'une natte, mais Trê m'en faisait le plus souvent deux, comme à elle-même. Les jours où j'obtenais la natte unique, je me sentais très élégante. J'avais le plus grand respect pour mes cheveux jusqu'à ce que je découvre ceux d'Elena : dès lors, les miens me parurent triviaux. Cette vérité m'apparaissait surtout quand, par hasard, nous étions coiffées de manière identique : ma natte était longue et sombre, la sienne n'en finissait pas et étincelait de noirceur.

Elena avait un an de moins que moi et je mesurais

bien cinq centimètres de plus qu'elle, mais elle m'était supérieure en tout, elle me dépassait comme elle dépassait le monde entier. Elle avait si peu besoin des autres qu'elle me semblait plus âgée que moi.

Elle pouvait passer des journées à arpenter l'espace exigu du ghetto, à petits pas très lents. Elle regardait juste assez pour voir qu'elle était regardée.

Je me demande s'il y avait des enfants qui ne la regardaient pas. Elle inspirait l'admiration, le respect, le ravissement et la peur, parce qu'elle était la plus belle et parce qu'elle était toujours sereine, parce qu'elle ne faisait jamais les premiers pas dans les contacts humains, parce qu'il fallait venir au-devant d'elle pour entrer dans son monde, et parce que en fin de compte personne n'entrait dans son monde, qui devait être luxe hautain, calme hautain et volupté hautaine, et où, d'elle-même et d'elle seule, elle semblait se complaire à la perfection.

Personne ne la regardait autant que moi.

Depuis 1974, nombreux ont été les êtres que j'ai regardés longuement, avidement — au point de les déranger.

Mais Elena fut la première.

Et cela ne la dérangeait pas le moins du monde.

C'est elle qui m'a appris à regarder les gens. Parce qu'elle était belle, et parce qu'elle paraissait exiger d'être regardée très fort. Exigence à laquelle je satisfaisais avec un zèle rare.

A cause d'elle, mon efficacité militaire se mit à décliner. L'éclaireur éclairait moins. Avant elle, je passais tout mon temps libre à cheval, à repérer l'ennemi. A présent, il fallait aussi que nombre d'heures fussent consacrées à regarder Elena. Cette activité pouvait être pratiquée en selle ou à pied, mais toujours à distance respectueuse.

Qu'une telle attitude pût être maladroite ne me fût pas venu à l'esprit. Quand je la voyais, j'oubliais que j'existais. Cette amnésie autorisait les comportements les plus étranges.

C'était la nuit, au lit, que je me rappelais ma présence. Et là, je souffrais ; j'aimais Elena et je sentais que cet amour appelait quelque chose. Je n'avais aucune idée de la nature de ce quelque chose. Je savais qu'il eût au moins fallu que la belle se souciât un peu de moi : c'était la première étape, indispensable. Mais je sentais qu'après il devrait y avoir un échange obscur et indéfinissable. Je me racontais des histoires — que d'aucuns qualifieraient de métaphores — pour approcher ce mystère : dans ces récits expérimentaux, la bien-aimée avait toujours horriblement froid. Le plus souvent, elle apparaissait couchée sur de la neige. Elle était très peu vêtue, voire nue, et elle pleurait de froid. La neige jouait un rôle considérable.

J'aimais qu'elle eût si froid, car il fallait la réchauffer. Mon imagination ne fut pas assez pertinente pour trouver la méthode idéale : en revanche, je me délectais à penser — à sentir — la chaleur qui envahissait lentement et exquisément le corps perclus, qui soulagerait ses morsures et la ferait soupirer d'un singulier plaisir.

Ces histoires me portaient à des états si beaux que je les crus surnaturelles. Le prestige de leur magie rejaillissait sur moi : j'étais forcément un médium. Je détenais des secrets prodigieux et si Elena pouvait s'en douter, elle m'aimerait.

Encore fallait-il le lui apprendre.

J'essayai. Ma tactique, d'une naïveté confondante,

prouve à quel point j'avais la foi en ce surnaturel innommé.

Un matin, je vins au-devant d'elle. Elle portait une robe pourpre, sans manches, très serrée à la taille puis évasée comme une pivoine. Sa beauté et sa grâce m'emplirent le crâne de brouillard.

Je me rappelai cependant ce que je devais lui dire.

— Elena, j'ai un secret.

Elle daigna me regarder, l'air de penser qu'un fait divers était toujours bon à prendre.

— Un autre cheval ? demanda-t-elle avec une ironie contenue.

— Non. Un vrai secret. Une chose que je suis la seule à connaître sur terre.

Je n'en doutais pas.

— C'est quoi ?

Je me rendis compte — mais il était bien tard — que j'étais absolument incapable de l'exprimer. Que pouvais-je lui dire ? Je ne pouvais quand même pas lui parler de la neige et des soupirs étranges.

C'était horrible. Pour une fois qu'elle me regardait, je ne trouvais rien à dire.

Je m'en tirai par un atermoiement spatial :

— Suis-moi.

Et je me mis à marcher dans une direction quelconque, avec un air déterminé qui cachait un désarroi panique.

Miracle : elle me suivit. Il est vrai que, de sa part, ce n'était pas une concession extraordinaire. Elle passait ses journées à marcher lentement à travers le ghetto. Aujourd'hui, elle se contentait de le faire en ma compagnie, à côté de moi, mais aussi distante que d'habitude.

Il était très difficile de marcher à une allure si traînante. J'avais l'impression de tourner un film au ralenti. Et ce malaise n'était rien comparé à ma terreur intérieure à l'idée que je n'avais rien, rien à lui montrer.

J'éprouvais cependant une émotion triomphale à la voir marcher à côté de moi. Je ne l'avais jamais vue marcher à côté de qui que ce fût. Ses cheveux étaient coiffés en une natte bien dégagée, de sorte que son profil ravissant m'apparaissait dans toute sa netteté.

Mais où diable allais-je la conduire ? Il n'y avait aucun mystère au sein du ghetto, qu'elle connaissait aussi bien que moi.

Cet épisode a dû durer une demi-heure. Dans ma mémoire, il tient la place d'une semaine. Moi, marchant à une lenteur incroyable, tant pour ne pas distancer Elena que pour retarder l'humiliation inévitable — ce moment de honte où je lui montrerais un trou du sol ou une brique cassée, ou n'importe quelle sottise, et où j'oserais dire une énormité du style : « Oh ! Quelqu'un l'a volé ! Qui a pris mon coffret d'émeraudes ? » La belle me rirait au nez. La déchéance béait de toute part.

Je m'étais rendue ridicule et pourtant je ne parvenais pas à me donner tort, car je savais, moi, que le secret existait et qu'il surpassait les coffrets d'émeraudes. Si seulement j'avais pu trouver les mots pour dire à Elena le sublime de ce mystère — de la neige, de la chaleur bizarre, des délices inconnues, des sourires insolites et des enchaînements encore plus inexplicables qui y succédaient.

Si j'avais pu ne fût-ce que lui laisser entrevoir ces prodiges, elle m'eût admirée, puis aimée, je n'en doutais pas. J'étais coupée d'elle par les mots. Et dire qu'il eût suffi de trouver la bonne formulation pour accéder au trésor, comme Ali Baba et « Sésame, ouvre-toi » ! Mais le grand secret me dérobait son langage et je ne pouvais que ralentir, ralentir, espérant vaguement l'apparition miraculeuse d'un éléphant, d'un bateau ailé ou d'une centrale nucléaire qui ferait diversion.

La patience d'Elena attestait son peu de curiosité — comme si, par avance, elle avait décrété que mon secret serait décevant. Je l'en remerciais presque. De lenteur en lenteur, de parcours absurde en détour idiot, mon itinéraire nous conduisit aux portes du ghetto.

Une bouffée de désespoir et de colère faillit s'emparer de moi. J'étais sur le point de me jeter par terre en hurlant :

— Le secret n'est nulle part ! Il n'y a pas moyen de le montrer, il n'y a même pas moyen d'en parler ! Et pourtant il existe ! Tu dois le croire parce que je le sens en moi et parce qu'il est mille fois plus beau que ce que tu pourrais imaginer ! Et tu dois m'aimer parce que je suis la seule personne à avoir ça en moi. Ne laisse pas passer une chose aussi extraordinaire que moi !

Ce fut alors qu'Elena me sauva à son insu :

— C'est hors de San Li Tun, ton secret ?

Je répondis oui pour répondre quelque chose, tout en sachant très bien que le boulevard de la Laideur Habitable ne recelait rien qui pût ressembler à un secret.

Ma bien-aimée s'arrêta sur place :

— Alors tant pis. Je n'ai pas le droit de sortir de San Li Tun.

— Ah ? fis-je, l'air de rien, ne pouvant encore croire à ce salut de dernière seconde.

— Maman me l'a interdit. Elle dit que les Chinois sont dangereux.

Je faillis m'exclamer : « Vive le racisme ! » mais je me contentai de conclure par ce qui s'imposait :

— C'est dommage ! Si tu avais pu voir comme le secret est beau !

Mallarmé mourant n'avait pas dit autre chose.

Elena haussa les épaules et s'en alla à pas lents.

Je dois l'avouer : de ce jour, je conserve une reconnaissance éperdue et inépuisable pour le communisme chinois.

Deux chevaux quittèrent l'enceinte par la porte unique et toujours gardée. Boulevard de la Laideur Habitable, ils ne prirent pas la direction de la place du Grand Ventilateur. Ils s'élancèrent à rebours, vers la gauche. Ils quittaient la ville.

Place du Grand Ventilateur, il y avait la Cité Interdite. Elle était moins interdite que la campagne. Mais les deux chevaliers n'avaient pas l'âge des interdictions et ils ne furent pas arrêtés.

Le galop les mena loin sur la route des champs. La Cité des Ventilateurs était devenue imperceptible.

On connaît mal la tristesse du monde si l'on n'a pas vu les terres qui entourent Pékin. Il est difficile de concevoir que l'Empire le plus prestigieux de l'Histoire ait pu s'édifier sur une telle maigreur.

Le désert est une belle chose. Mais un désert déguisé en campagne est un spectacle pénible. Les moindres cultures avaient l'air exténué. Les rares humains y étaient invisibles, car ils bâtissaient leurs masures dans les trous du sol.

S'il y a sur cette planète un paysage désolé, c'est celui-là. Les deux chevaux martelaient la route étroite dans l'espoir de couvrir ce silence de ruines.

Je ne sais pas si ma sœur savait que son vélo était

un cheval ; en tout cas, rien dans son attitude ne démentait cette vérité de légende.

Arrivées à la mare encerclée de rizières, nous arrêtions les montures, enlevions nos armures et plongions dans l'eau boueuse. C'était l'équipée du samedi.

Parfois, un paysan chinois, l'air prodigieusement vide, venait regarder flotter les deux choses blanches.

Les deux chevaliers sortaient de l'eau, remettaient les armures et s'asseyaient par terre. Pendant que leurs coursiers broutaient l'herbe pauvre, ils mangeaient des petits-beurre.

En septembre, il y eut l'école.

Pour moi, ce n'était pas nouveau. Pour Elena, ce fut la première fois.

Mais la petite Ecole française de Pékin n'avait pas grand-chose à voir avec l'enseignement.

Nous autres, enfants de toutes les nations — hormis les anglophones et les germanophones —, eussions été très étonnés si l'on nous avait révélé que nous fréquentions cet établissement dans le but d'apprendre.

Nous n'avions pas remarqué.

Pour moi, l'école était une grande fabrique de petits avions en papier.

A tel point que les professeurs nous aidaient à les construire. Et pour cause : comme ils n'étaient ni professeurs ni instituteurs, c'était à peu près tout ce qu'ils pouvaient faire.

Ces braves gens, des bénévoles, avaient atterri en Chine par accident — car il est permis de qualifier d'accident une somme si importante d'illusions et de déceptions subséquentes.

D'ailleurs, à part les diplomates et les sinologues, tous les étrangers qui résidaient en Chine à cette époque y étaient pour ces mêmes raisons « accidentelles ».

Et comme il fallait bien que ces malheureux fissent quelque chose, une fois sur place, ils allaient « enseigner » à la petite Ecole française de Pékin.

Ce fut ma première école. C'est là que j'ai suivi les trois années réputées les plus importantes. Or, j'ai beau sonder ma mémoire, je pense n'y avoir tout simplement rien appris, hormis la fabrication des petits avions en papier.

Ce n'était pas grave. Je savais lire depuis mes quatre ans, écrire depuis mes cinq ans, et je laçais mes souliers toute seule depuis la préhistoire. Je n'avais donc plus rien à apprendre.

Aux professeurs était dévolue une tâche surhumaine : empêcher les enfants de s'entre-tuer. Et ils y parvenaient. Il faut donc féliciter ces gens admirables et comprendre que, en de pareilles conditions, enseigner l'alphabet eût constitué un luxe saugrenu pour idéalistes fin de siècle.

Pour nous, enfants de toutes les nationalités, l'enseignement n'était rien d'autre que la continuation de la guerre par les mêmes moyens.

Mais avec une différence singulière : à la petite Ecole française de Pékin, il n'y avait pas d'Allemands. Ils allaient à l'Ecole d'Allemagne de l'Est.

Nous avions résolu ce fâcheux détail par une réglementation géniale et panique : à l'école, l'ennemi, c'était tout le monde.

Et comme l'établissement avait des dimensions très réduites, nous nous y démolissions les uns les autres avec beaucoup de facilité : il ne fallait pas chercher l'ennemi, il était partout, à portée de main, de dents, de pied, de crachat, d'ongles, de crâne, de croc-en-jambe, d'urine et de vomi. Il suffisait de se baisser.

Cette école était d'autant plus pittoresque qu'un quart de ses élèves ne connaissaient pas un mot de français, et n'avaient même jamais eu l'intention d'en apprendre un. Leurs parents les avaient parqués là parce qu'ils ne savaient vraiment pas où les mettre et parce qu'ils voulaient avoir la paix pour savourer, entre adultes, les joies du régime en place.

Nous avions ainsi, parmi nous, des petits Péruviens ou autres Martiens, que nous torturions à loisir et dont les hurlements d'horreur étaient absolument incompréhensibles. Je garde les meilleurs souvenirs de l'Ecole française.

Pour Elena aussi, ce serait la première école.

Je tremblais. J'adorais ce lieu de perdition, mais l'idée qu'une créature comme elle pût s'aventurer en un endroit aussi dangereux me terrifiait. Elle qui détestait les violences physiques !

En tout cas, je me promettais de casser la figure à celui ou celle qui toucherait au moindre de ses cheveux. C'eût été une occasion de me faire bien voir d'elle, d'autant que je n'eusse certainement pas été à la hauteur de l'agresseur qui m'eût transformée en pâte à papier et m'eût ainsi rendue irrésistible aux yeux de la protégée.

Ce ne fut pas nécessaire.

Le miracle se produisait partout où Elena allait. Dès le jour de la rentrée, une bulle de paix, de douceur et de courtoisie se constitua autour de ma bienaimée. Elle pouvait traverser les batailles les plus sanglantes, la bulle l'accompagnait pas à pas. C'était une réaction universelle, naturelle, instinctive : personne ne porterait atteinte à une chose aussi belle et aussi supérieure.

A quatre heures, elle retournait au ghetto, aussi propre et nette qu'au matin.

L'atmosphère insurrectionnelle de l'école ne semblait pas l'incommoder : elle ne la remarquait pas. Du moins affectait-elle de ne pas la remarquer. Pendant les récréations, elle arpentait la petite cour terreuse de son pas lent, l'air ailleurs, heureuse de sa solitude.

Ce qui devait arriver arriva : cette solitude ne dura pas.

Une beauté aussi hautaine que la sienne inspirait la distance respectueuse. Jamais je n'aurais pu imaginer qu'il existerait un individu assez téméraire pour oser l'approcher. Ainsi, cet amour me faisait connaître des souffrances variées mais dont la jalousie demeurait exclue.

Quelle ne fut pas ma stupeur de voir, un matin, dans la cour, un garçon enjoué qui racontait mille choses à la petite Italienne.

Et elle s'était arrêtée pour l'écouter.

Et elle l'écoutait. Elle avait levé le visage vers celui du garçon. Et ses yeux et sa bouche étaient ceux d'une personne qui écoute.

Certes, elle n'avait pas l'air enthousiaste ou admiratif. Mais elle écoutait vraiment. Elle avait daigné accorder de l'attention à quelqu'un.

Sous mes yeux, ce garçon était en train d'exister pour elle.

Et il exista pendant au moins dix minutes.

Et comme il était dans sa classe, Dieu sait combien de temps il exista encore à mon insu.

Infamie sans nom.

Quelques précisions ontologiques s'imposent.

Jusqu'à mes quatorze ans, j'ai divisé l'humanité en trois catégories : les femmes, les petites filles et les ridicules.

Toutes les autres différences me paraissaient anecdotiques : riches ou pauvres, Chinois ou Brésiliens (les Allemands mis à part), maîtres ou esclaves, beaux ou laids, adultes ou vieux, ces distinctions-là étaient certes importantes mais n'affectaient pas l'essence des individus.

Les femmes étaient des gens indispensables. Elles préparaient à manger, elles habillaient les enfants, elles leur apprenaient à lacer leurs souliers, elles nettoyaient, elles construisaient des bébés avec leur ventre, elles portaient des vêtements intéressants.

Les ridicules ne servaient à rien. Le matin, les grands ridicules partaient au « bureau », qui était une école pour adultes, c'est-à-dire un endroit inutile. Le soir, ils voyaient leurs amis — activité peu honorable dont j'ai parlé plus haut.

En fait, les ridicules adultes étaient restés très semblables aux ridicules enfants, à cette différence non négligeable qu'ils avaient perdu le trésor de l'enfance. Mais leurs fonctions ne changeaient guère et leur physique non plus.

En revanche, il y avait une immense différence entre les femmes et les petites filles. D'abord, elles n'étaient pas du même sexe — un seul regard suffisait pour le comprendre. Et puis, leur rôle changeait énormément avec l'âge : elles passaient de l'inutilité de l'enfance à l'utilité primordiale des femmes, tandis que les ridicules demeuraient inutiles toute leur vie.

Les seuls ridicules adultes qui servaient à quelque chose étaient ceux qui imitaient les femmes : les cuisiniers, les vendeurs, les professeurs, les médecins et les ouvriers.

Car ces métiers étaient d'abord féminins, surtout le dernier : sur les innombrables affiches de propagande qui jalonnaient la Cité des Ventilateurs, les ouvriers ne manquaient jamais d'être des ouvrières, joufflues et joyeuses. Elles réparaient des pylônes avec tant de bonheur qu'elles en avaient le teint rose.

La campagne confirmait les vérités de la ville : les panneaux ne montraient que des agricultrices enjouées et braves qui récoltaient des gerbes avec extase.

Les ridicules adultes servaient surtout aux métiers de simulation. Ainsi, les soldats chinois qui entouraient le ghetto faisaient semblant d'être dangereux, mais ne tuaient personne.

J'avais de la sympathie pour les ridicules, d'autant que je trouvais leur sort tragique : ils naissaient ridicules. Ils naissaient avec, entre les jambes, cette chose grotesque dont ils étaient pathétiquement fiers, ce qui les rendait encore plus ridicules.

Souvent, les ridicules enfants me montraient cet objet, ce qui avait pour effet immanquable de me faire rire aux larmes. Cette réaction les laissait perplexes.

Un jour, je ne pus m'empêcher de dire à l'un d'entre eux, avec une sincère gentillesse :

— Pauvre !

— Pourquoi ? demanda-t-il, éberlué.

— Ça doit être désagréable.

— Non, assura-t-il.

— Mais si ; la preuve, quand on vous tape là...

— Oui, seulement, c'est pratique.

— Ah ?

— On fait pipi debout.

— Et alors

— C'est mieux.

— Tu trouves ?

— Ecoute, pour pisser dans les yaourts des Allemands, il faut être un garçon.

Cet argument me plongea dans une profonde réflexion. Je ne doutais pas qu'il existât une échappatoire, mais laquelle ? Je devais la trouver quelque temps plus tard.

L'élite de l'humanité était les petites filles. L'humanité existait pour qu'elles existent.

Les femmes et les ridicules étaient des infirmes. Leurs corps présentaient des erreurs dont l'aspect ne pouvait inspirer autre chose que le rire.

Seules les petites filles étaient parfaites. Rien ne saillait de leurs corps, ni appendice grotesque, ni protubérances risibles. Elles étaient conçues à merveille, profilées pour ne présenter aucune résistance à la vie.

Elles n'avaient pas d'utilité matérielle mais elles étaient plus nécessaires que n'importe qui, car elles étaient la beauté de l'humanité — la vraie beauté, celle qui est pure aisance d'exister, celle où rien ne gêne, où le corps n'est que bonheur des pieds à la tête. Il faut avoir été une petite fille pour savoir combien il peut être exquis d'avoir un corps.

Que devrait être le corps ? Un objet de pur plaisir et de pure liesse.

Dès que le corps présente quelque chose de gênant — dès que le corps encombre —, c'est fichu.

Je m'aperçois à l'instant qu'à l'adjectif lisse ne correspond aucun substantif. Pas étonnant : le vocabulaire du bonheur et du plaisir a toujours été le plus pauvre, et ce dans toutes les langues.

Qu'il me soit permis de créer le mot « lisseté »

pour donner une idée, aux encombrés de toute nature, de ce que peut être un corps heureux.

Platon qualifie le corps d'écran, de prison, et je lui donne cent fois raison, sauf pour les petites filles. Si Platon avait été une petite fille un jour, il aurait su que le corps peut être exactement le contraire — l'outil de toutes les libertés, le tremplin des vertiges les plus délicieux, la marelle de l'âme, le saute-mouton des idées, écrin de virtuosité et de vitesse, seule fenêtre du pauvre cerveau. Mais Platon n'a jamais même évoqué les petites filles, quantité négligeable de la Cité Idéale.

Bien sûr, toutes les petites filles ne sont pas jolies. Mais même les laides petites filles font plaisir à voir.

Et quand une petite fille est jolie, et quand une petite fille est belle, le plus grand poète d'Italie lui consacre toute son œuvre, un immense logicien anglais perd la raison pour elle, un écrivain russe fuit son pays pour donner son nom à un roman dangereux, etc. Car les petites filles rendent fou.

Jusqu'à l'âge de quatorze ans, j'aimais bien les femmes, j'aimais bien les ridicules, mais je pensais qu'être amoureux d'autre chose que d'une petite fille n'avait aucun sens.

Aussi, quand je vis Elena accorder de l'attention à un ridicule, je fus scandalisée.

Je trouvais admissible qu'elle ne m'aimât pas.

Mais qu'elle me préférât un ridicule dépassait les limites de l'absurdité.

Etait-elle donc aveugle ?

Elle avait pourtant un frère : elle ne pouvait ignorer l'infirmité des garçons. Et elle ne pouvait pas tomber amoureuse d'un infirme.

Aimer un infirme ne pouvait être qu'un acte de pitié. Et la pitié était étrangère à Elena.

Je ne comprenais pas.

L'aimait-elle vraiment ? Impossible à savoir. Mais pour lui, elle daignait ne pas marcher d'un air absent, elle daignait s'arrêter pour l'écouter. Jamais je ne l'avais vue témoigner tant d'égards envers quelqu'un.

Le phénomène se répéta à de nombreuses récréations. C'était intolérable.

Qui diable était ce petit ridicule ? Je ne le connaissais pas.

J'enquêtai. Il s'agissait d'un Français de six ans qui habitait Wai Jiao Ta Lu — c'était déjà ça : s'il avait habité le même ghetto que nous, c'eût été le comble. Mais il fréquentait Elena à l'école, soit six heures par jour. C'était infernal.

Il s'appelait Fabrice. Je n'avais jamais entendu ce prénom et je décrétai d'emblée qu'il n'y avait pas plus ridicule. Par un surcroît de ridicule, il avait de longs cheveux. C'était un ridicule extrêmement ridicule.

Hélas, je semblais être la seule à le penser. Fabrice paraissait le meneur de la classe des petits.

Ma bien-aimée avait choisi le pouvoir : j'avais honte pour elle.

Par un mécanisme étrange, je ne l'en aimais que plus fort.

Je ne comprenais vraiment pas pourquoi mon père avait l'air si tourmenté. Au Japon, il était jovial. A Pékin, c'était un autre homme.

Par exemple, depuis son arrivée, il multipliait les démarches pour que fût révélée la composition du gouvernement chinois.

Je me demandais si cette obsession était bien sérieuse.

A ses yeux en tout cas, elle l'était. Pas de chance : à chaque fois qu'il posait cette question, les autorités chinoises répondaient que c'était un secret.

Il s'insurgeait le plus poliment possible :

— Mais dans aucun pays au monde on ne cache la composition du gouvernement !

Argument qui ne semblait pas émouvoir les autorités chinoises.

Ainsi, les diplomates postés à Pékin en étaient réduits à s'adresser à des ministres fictifs et innommés : exercice intéressant qui nécessitait un grand sens de l'abstraction et une admirable audace spéculative.

On connaît la prière de Stendhal :

— Mon Dieu, si vous existez, ayez pitié de mon âme, si j'en ai une.

Entrer en communication avec le gouvernement chinois, c'était la même chose.

Mais le système en place était plus subtil que la théologie, en ceci qu'il ne cessait de dérouter par son incohérence ; ainsi, nombre de communiqués officiels contenaient ce genre de phrase : « La nouvelle usine textile de la commune populaire de... vient d'être inaugurée par le camarade ministre de l'Industrie, Machin... »

Et tous les diplomates de Pékin se ruaient sur leurs équations gouvernementales à vingt inconnues et indiquaient : »Le 11 septembre 1974, le ministre de l'Industrie est Machin... »

Le puzzle politique pouvait se compléter peu à peu, mois après mois, mais toujours avec une immense marge d'incertitude, car la composition du gouvernement était l'instabilité même. Et deux mois plus tard, sans que l'on ait été averti de quoi que ce fût, on tombait sur un communiqué officiel disant : « Suite aux déclarations du camarade ministre de l'Industrie, Truc... »

Et tout était à recommencer.

Les plus mystiques se consolaient avec des considérations qui les faisaient rêver :

— A Pékin, nous aurons compris la nature de ce que les Anciens appelaient *deus absconditus*.

Les autres allaient jouer au bridge.

Je ne me souciais pas de ces choses-là.

Il y avait plus grave.

Il y avait ce Fabrice, dont le prestige augmentait à vue d'œil, et auquel Elena paraissait de moins en moins insensible.

Je ne me posais pas la question de savoir ce que ce garçon avait de plus que moi. Je savais ce qu'il avait de plus que moi.

Et c'était ce qui me laissait perplexe : se pouvait-il qu'Elena ne jugeât pas cet objet ridicule ? Se pouvait-il qu'elle lui trouvât du charme ? Tout inclinait à le croire.

A l'âge de quatorze ans, j'allais changer d'opinion sur ce point, à mon grand étonnement.

Mais à sept ans, cette inclination me semblait inconcevable.

J'en conclus avec effroi que ma bien-aimée avait perdu la raison.

Je tentai le tout pour le tout. Prenant à part la petite Italienne, je lui glissai à l'oreille de quelle infirmité souffrait Fabrice.

Elle me regarda avec une hilarité contenue — et il était clair que c'était moi, et non l'objet en question, qui la lui inspirais.

Je compris qu'Elena était irrécupérable.

Je passai la nuit à pleurer, non parce que je ne possédais pas cet engin, mais parce que ma bien-aimée avait mauvais goût.

A l'école, un professeur téméraire conçut le projet de nous faire faire autre chose que des petits avions en papier.

Il réunit les trois petites classes et je me retrouvai donc avec Elena et sa cour.

— Les enfants, j'ai une idée : nous allons tous ensemble écrire une histoire.

D'emblée, cette proposition suscita ma plus grande méfiance. Mais je fus la seule à réagir de la sorte : les autres exultaient.

— Que ceux qui savent écrire écrivent chacun une histoire. Après, nous choisirons ensemble la plus belle et nous en ferons un grand livre avec des dessins.

« Grotesque », pensai-je.

Ce projet devait donner envie aux innombrables analphabètes des petites classes d'apprendre à écrire.

Tant qu'à perdre son temps, autant choisir une histoire qui me plût.

Je me plongeai dans un récit torride.

Une très belle princesse russe (pourquoi russe ? je me le demande encore) était enterrée toute nue dans une montagne de neige. Elle avait de très longs cheveux noirs et des yeux profonds, qui allaient bien avec son genre de souffrance. Car le froid lui faisait endurer des douleurs abominables. Seule sa tête dépassait de la neige et elle voyait qu'il n'y avait personne pour la sauver. Longue description de ses pleurs et de ses tourments. Je jubilais. Alors arrivait une autre princesse, *dea ex machina*, qui la tirait de là et entreprenait de réchauffer le corps congelé. Je défaillais de volupté à raconter comment elle s'y prenait.

Je rendis ma copie avec un visage hagard.

Pour des raisons mystérieuses, elle sombra dans un oubli immédiat. L'instituteur ne la mentionna même pas.

Il raconta pourtant toutes les autres, dans lesquelles il était question de petits cochons, de dalmatiens, de nez qui s'allongeait quand on mentait — bref, des scénarios qui avaient un air de déjà-vu.

A ma grande honte, j'avoue avoir oublié le récit d'Elena.

Mais je n'ai pas oublié quel élève l'a emporté, et par quelle démagogie il y parvint.

En comparaison, une campagne électorale roumaine figurerait un modèle d'honnêteté.

Fabrice — car c'était lui, évidemment — avait commis une affaire de bienfaisance. Ça se passait en Afrique. Un petit Noir voyait sa famille mourir de faim et partait à la recherche de nourriture. Il allait à la ville et devenait très riche. Dix ans plus tard il retournait au village, comblait les siens de vivres et de cadeaux et créait un hôpital.

Voici comment le professeur avait présenté ce récit édifiant :

— J'ai gardé pour la fin l'histoire de notre ami Fabrice. Je ne sais pas ce que vous en penserez, mais moi, c'est celle que je préfère.

Et il avait lu la copie, qui fut saluée par des manifestations d'enthousiasme du dernier kitsch.

— Eh bien je crois que nous sommes d'accord, les enfants.

Je ne saurais dire à quel point cette manœuvre m'écœura.

D'abord, j'avais trouvé la saga de Fabrice niaise et bêtasse.

« Mais c'est humanitaire ! » m'étais-je exclamée à part moi en l'entendant lire, avec autant de consternation qu'on eût pu dire : « Mais c'est de la propagande ! »

Ensuite, le soutien spontané de cet adulte m'apparut d'emblée comme une garantie de médiocrité.

Impression que confirma l'odieuse manipulation idéologique qui s'ensuivit.

Le reste était à l'avenant : vote par acclamation et non par scrutin, triomphe de l'à-peu-près dans les estimations, etc.

Enfin, le clou : le visage du vainqueur qui vint sur l'estrade saluer les électeurs et exposer son projet avec plus de détails.

Son sourire calme et content !

Sa voix crétine pour expliciter sa jolie histoire de courageux affamés !

Et surtout les cris de joie unanimes de cette bande de petits imbéciles !

La seule à ne pas piailler fut Elena, mais l'air de fierté avec lequel elle regardait le héros du jour ne valait guère mieux.

En vérité, que mon récit eût été escamoté m'effleurait à peine. Je n'avais d'ambitions que guerrières et amoureuses. Ecrire, je trouvais que c'était bon pour les autres.

En revanche, que l'infâme bonasserie de ce petit ridicule récoltât un tel engouement me donna envie de vomir.

Qu'une énorme part de jalousie et de mauvaise foi se mêlât à mon indignation ne contredit pas le fond de l'affaire : j'étais dégoûtée que l'on portât aux nues une histoire où les bons sentiments tenaient lieu d'imagination.

De ce jour, je décrétai que la littérature était un monde pourri.

La machination se mit en place.

Nous étions censés être quarante enfants — trois classes — à travailler à ce projet.

Je tiens à garantir que les historiographes furent trente-neuf au maximum. Car j'eusse préféré crever que contribuer, si peu que ce fût, à cette entreprise d'édification populaire.

Si l'on exclut aussi les petits Péruviens ou autres Sélénites qui avaient atterri parmi nous et qui ne pigeaient pas un mot de français, on en arrive à trente-quatre.

Desquels il faut déduire les éternels suivistes muets que charrient tous les systèmes, et dont le silence abruti tint lieu de participation. Restent alors vingt historiographes.

Dont Elena qui ne parlait jamais, pour respecter son image de sphinge. Dix-neuf.

Dont neuf filles amoureuses de Fabrice, et qui n'ouvraient la bouche que pour approuver bruyamment les suggestions de leur idole à longs cheveux. Ce qui limite l'effectif à dix.

Dont quatre garçons qui avaient Fabrice pour modèle, et dont l'action se borna à béer d'extase quand il parlait. Six.

Dont un Roumain qui, très officiel, répétait à tue-tête combien l'affaire lui plaisait et combien il aimerait y participer. Ce qui fut sa seule participation. Cinq.

Dont deux rivaux de Fabrice, qui s'efforçaient

timidement de contredire ses idées, et dont les moindres interventions étaient aussitôt noyées sous les huées. Trois.

Dont un cas étrange, qui ne s'exprimait jamais qu'en play-back. Deux.

Dont un garçon qui se plaignait, peut-être avec sincérité, de n'avoir pas un atome d'imagination.

Et voici comment mon rival écrivit tout seul notre œuvre collective.

(Ce qui est d'ailleurs le cas de la majorité des œuvres collectives.)

Et voici comment ceux qui étaient censés apprendre à lire ou à écrire par la grâce de cette stimulation n'apprirent rien.

La machination prit trois mois.

En cours de processus, le professeur s'aperçut de certains vices de fonctionnement de cette entreprise de moins en moins collective.

Il n'eut cependant pas à regretter son idée, car nous ne tuâmes personne en trois mois, ce qui constituait déjà un beau succès.

Un jour, il eut néanmoins un accès de colère en constatant que le caravansérail des muets s'hypertrophiait à vue d'œil. Et il ordonna que tous ceux qui ne participaient pas à l'écriture se missent à illustrer cette belle histoire.

Une commission fut ainsi constituée, englobant une vingtaine d'enfants qui étaient censés dessiner la geste admirable du héros.

Pour des motifs obscurs, mais qui, somme toute, cadraient bien avec le climat joyeusement nourricier de cette fable humanitaire, le professeur décréta que nous exécuterions nos chefs-d'œuvre picturaux à l'aide de bâtonnets de pomme de terre crue trempés dans de l'encre de Chine.

Suggestion qui se voulait sans doute avant-gardiste et qui était surtout grotesque, d'autant qu'à Pékin le prix des patates excédait de loin celui des pinceaux.

On divisa les commissionnaires en artistes peintres et en peleurs-découpeurs de pommes de terre. J'assurai que je n'avais aucun talent et je me joignis aux éplucheurs, où j'inaugurai, en une rage secrète, de multiples techniques de sabotage de patates. Tout m'était bon pour rater les bâtonnets, taillant trop fin ou de travers, allant jusqu'à manger les tubercules crus pour les faire disparaître, procédé héroïque s'il en fût.

Je n'ai jamais mis les pieds dans un ministère de la Culture mais quand j'essaie de m'en faire une idée, je vois la classe de la Cité des Ventilateurs, avec dix éplucheurs de pommes de terre, dix peintres improvisant des taches sur du papier, dix-neuf intellectuels sans utilité perceptible et un pontife écrivant tout seul une grande et noble histoire collective.

Si la Chine est presque absente de ces pages, ce n'est pas parce qu'elle ne m'intéressait pas : il n'est pas nécessaire d'être adulte pour attraper ce virus qui mériterait, selon les cas, le nom de sinomanie, de sinolalie, de sinopathie, de sinolâtrie ou même de sinophagie — appellations à moduler en fonction des usages que les sujets font du pays élu. On commence à peine à comprendre que s'intéresser à la Chine, c'est s'intéresser à soi. Pour des raisons très étranges, qui tiennent sans doute à son immensité, à son ancienneté, à son degré inégalé de civilisation, à son orgueil, à son raffinement monstrueux, à sa cruauté légendaire, à sa crasse, à ses paradoxes plus insondables qu'ailleurs, à son silence, à sa beauté mythique, à la liberté d'interprétation que son mystère autorise, à sa complétude, à sa réputation d'intelligence, à sa sourde hégémonie, à sa permanence, à la passion qu'elle suscite, enfin et surtout à sa méconnaissance — pour ces raisons peu avouables donc, la tendance intime de l'individu est de s'identifier à la Chine, pire, de voir en la Chine l'émanation géographique de soi-même.

Et à l'exemple des maisons closes où le bourgeois va accomplir ses fantasmes les moins admis, la Chine devient le territoire où il est permis de se livrer à ses plus bas instincts, à savoir parler de soi. Car, par un travestissement bien commode, parler de la Chine revient presque toujours à parler de soi (les exceptions se comptent sur les doigts d'une main). D'où la prétention que j'évoquais plus tôt et qui, sous couleur de dénigrements ou de mortifications en tout genre, n'est jamais éloignée de la première personne du singulier.

Les enfants sont encore plus égocentriques que les adultes. C'est pourquoi la Chine m'a fascinée dès que j'y ai posé le pied, à cinq ans. Car ce fantasme, qui est à la portée des esprits les plus simples, n'est pas gratuit : il est exact que nous sommes tous chinois. A divers degrés, certes : chacun a son taux de Chine en soi, comme chacun a son taux de cholestérol dans le sang ou de narcissisme dans le regard. Toute civilisation est une interprétation du modèle chinois. Parmi les réseaux de pléonasmes, il serait avisé d'établir le grand axe préhistoire-Chine-civilisation, puisqu'il est impossible de prononcer l'un de ces trois mots sans inclure les deux autres.

Et pourtant la Chine est presque absente de ces

pages. Il y aurait maints arguments admirables à invoquer : qu'elle y est d'autant plus présente qu'elle y est peu mentionnée ; qu'il s'agit d'un récit d'enfance et que, d'une certaine façon, toutes les enfances se déroulent en Chine ; que l'Empire du Milieu est une région trop intime de l'humain pour que j'ose le décrire davantage ; que, face à ce double voyage — l'enfance et la Chine —, les mots sont particulièrement fluets. Ces motifs d'omission ne seraient pas mensongers et ils trouveraient preneurs.

Or, je les refuse tous au nom de l'argument le plus regrettable : c'est que cette histoire se passe en Chine, mais à peine. J'aimerais cent fois mieux dire que ce récit ne se passe pas en Chine — et il y aurait de bonnes raisons à énumérer. Il serait réconfortant de penser que ce pays n'est plus la Chine, que cette dernière s'est exportée et qu'il n'y a plus au bout de l'Eurasie qu'une énorme nation sans âme, sans nom et donc sans réelle souffrance. Hélas, je ne saurais le prétendre. Et envers et contre tout espoir, ce pays sordide était bel et bien la Chine.

Ce que je mets en question, c'est la présence des étrangers là-bas. Il faudrait s'entendre sur ce que signifie « être présent ». Certes, nous résidions à Pékin ; mais peut-on parler de présence en Chine quand on est si soigneusement isolé des Chinois ? Quand l'accès à l'immense majorité du territoire est interdit ? Quand les contacts avec la population sont impossibles ?

En trois années, nous n'avons eu de vraie communication humaine qu'avec un seul Chinois : il s'agissait de l'interprète de l'ambassade, un homme exquis qui portait le nom inattendu de Chang. Il parlait un français délicieux et recherché, avec de charmantes approximations phonétiques : par exemple, au lieu de dire « dans le passé », il disait « dans l'eau très froide », car c'était ainsi qu'il avait entendu « autrefois ». Il nous fallut un certain temps pour comprendre pourquoi monsieur Chang commençait si souvent ses phrases par « dans l'eau très froide ». Ses renseignements concernant cette eau froide étaient d'ailleurs passionnants et on sentait combien la nostalgie l'étreignait. Mais à force de parler de l'eau très froide, monsieur Chang se fit remarquer : du jour au lendemain, il disparut ou plutôt s'évapora sans laisser la trace la plus infime — comme s'il n'avait jamais existé.

Toutes les suppositions sont possibles quant à ce qui lui advint.

Il fut remplacé presque aussitôt par une Chinoise revêche qui portait le nom inattendu de Chang. Mais si monsieur Chang était un monsieur, elle ne tolérait pas d'être autre chose qu'une camarade ; les « madame Chang » ou « mademoiselle Chang » étaient aussitôt corrigés comme de grosses fautes de grammaire. Un jour, ma mère lui demanda : « Camarade Chang, comment s'adressait-on à un Chinois avant ? Y avait-il un équivalent à monsieur ou madame ?

— On appelle les Chinois camarades, répondit l'interprète, implacable.

— Oui, bien sûr, aujourd'hui, insista ma naïve mère. Mais avant, vous savez... avant ?

— Il n'y a pas d'avant », trancha la camarade Chang, plus péremptoire que jamais.

Nous avions compris.

La Chine n'avait tout simplement pas de passé.

Il ne fut plus question d'eau très froide.

Dans les rues, les Chinois s'écartaient prestement

de nous comme si nous avions porté quelque maladie contagieuse. Quant aux domestiques que les autorités attribuaient aux étrangers, ils entretenaient avec nous des rapports d'un sommaire difficile à imaginer — ce qui laissait au moins supposer qu'ils n'étaient pas des espions.

Notre cuisinier, qui portait le nom inattendu de Chang, se montra étonnamment humain envers nous, sans doute parce qu'il avait accès au monde de la nourriture dont la Chine affamée avait fait la valeur suprême. Chang était obsédé par l'idée de gaver les trois enfants occidentaux qui lui avaient été confiés. Il assistait à tous les repas que nous prenions sans nos parents, c'est-à-dire à presque tous nos repas, et nous regardait manger avec sur son vieux visage austère un air d'une gravité extrême, comme si les questions les plus importantes de l'univers se jouaient dans nos assiettes. Il ne disait jamais rien sauf ces deux mots « beaucoup manger », formule sacrée dont il usait avec la rareté et la sobriété des incantations ésotériques. Selon notre appétit se lisait sur ses traits la satisfaction du devoir accompli ou, au contraire, une angoisse douloureuse. Le cuisinier Chang nous aimait. Et s'il nous forçait à manger, c'était parce que les autorités ne lui permettaient pas de nous exprimer sa tendresse autrement : la nourriture était le seul langage autorisé entre les étrangers et les Chinois.

A part cela, il y avait les marchés où, à cheval, j'allais acheter des caramels, des poissons rouges bigleux, de l'encre de Chine ou autres merveilles, mais où la communication se limitait à des échanges d'argent.

J'atteste que ce fut tout.

En ces conditions, je ne puis que conclure ceci :

cette histoire s'est passée en Chine autant qu'on le lui a permis — c'est-à-dire très peu.

C'est une histoire de ghetto. C'est donc le récit d'un double exil : exil par rapport à nos pays d'origine (pour moi le Japon, car j'étais persuadée d'être japonaise), et exil par rapport à la Chine qui nous entourait mais dont nous étions coupés, en vertu de notre qualité d'hôtes profondément indésirables.

Qu'on ne s'y trompe pas, en fin de compte : la Chine tient dans ces pages la même place que la peste noire dans *Le Décaméron* de Boccace ; s'il n'en est presque pas fait mention, c'est parce qu'elle y SEVIT partout.

Elena ne m'avait jamais été accessible. Et depuis Fabrice, elle m'échappait de plus en plus.

Je ne savais plus quoi faire pour attirer son attention. Je fus tentée de lui parler des ventilateurs mais j'eus l'intuition qu'elle réagirait comme lors de l'affaire du cheval : elle hausserait les épaules et m'ignorerait.

Je bénissais le sort qui avait voulu que Fabrice vécût à Wai Jiao Ta Lu. Et je bénissais la mère de ma bien-aimée qui interdisait à ses enfants de mettre un pied hors de San Li Tun.

En effet, se rendre d'un ghetto à l'autre ne posait aucun problème. A vélo, cela prenait un quart d'heure. Je faisais souvent la navette parce qu'il y avait à Wai Jiao Ta Lu un magasin d'ignobles caramels chinois, cent pour cent bactéries, qui me semblaient les friandises les plus célestes du monde sublunaire.

Je remarquai qu'en trois mois de flirt, Fabrice n'était jamais venu à San Li Tun.

Ce constat m'inspira une idée que j'espérais

cruelle. De retour de l'école, je demandai à la petite Italienne d'un ton détaché :

— Est-ce que Fabrice est amoureux de toi ?

— Oui, répondit-elle avec indifférence, comme si cela allait de soi.

— Et toi, tu l'aimes ?

— Je suis sa fiancée.

— Sa fiancée ! Mais alors, tu dois le voir très souvent.

— Tous les jours, à l'école.

— Ah non, pas tous les jours. Pas le samedi et le dimanche.

Silence distant.

— Et le soir non plus, tu ne le vois pas. Pourtant, c'est surtout le soir que les fiancés doivent se voir. Pour aller au cinéma.

— Il n'y a pas de cinéma à San Li Tun.

— Il y a un cinéma à l'Alliance française, près de Wai Jiao Ta Lu.

— Mais maman ne me permet pas de sortir d'ici.

— Et pourquoi Fabrice ne vient pas te voir à San Li Tun ?

Silence.

— A vélo, ça prend un quart d'heure. J'y vais tous les jours, moi.

— Maman dit que c'est dangereux de sortir.

— Et alors ? Fabrice a peur ? Je sors tous les jours, moi.

— Ses parents ne lui permettent pas.

— Et il obéit ?

Silence.

— Je lui demanderai de venir me voir demain à San Li Tun. Tu verras, il le fera. Il fait tout ce que je lui demande.

— Ah non ! S'il t'aime, il doit y penser tout seul. Sinon, ça n'a aucune valeur.

— Il m'aime.

— Alors, pourquoi il ne vient pas ?

Silence.

— Peut-être que Fabrice a une autre fiancée à Wai Jiao Ta Lu, lançai-je à titre d'hypothèse.

Elena rit avec dédain.

— Les autres filles sont bien moins jolies que moi.

— Tu n'en sais rien. Elles ne vont pas toutes à l'Ecole française. Les Anglaises, par exemple.

— Les Anglaises ! rit la petite Italienne, comme si ce simple énoncé écartait les soupçons.

— Eh bien quoi, les Anglaises ? Il y a lady Godiva.

Elena me regarda avec des points d'interrogation dans les yeux. Et je lui expliquai que les Anglaises avaient pour habitude de se promener toutes nues, à cheval, vêtues de très longs cheveux.

— Mais il n'y a pas de chevaux dans les ghettos, dit-elle froidement.

— Si tu crois que c'est ça qui dérange les Anglaises.

Ma bien-aimée s'en fut d'un pas rapide. C'était la première fois que je la voyais marcher vite.

Son visage n'avait affiché aucune blessure, mais j'étais certaine d'avoir atteint au moins son orgueil, sinon un cœur dont l'existence ne me fut jamais attestée.

Je ressentis un triomphe éclatant.

Je ne sus rien de l'éventuelle bigamie de mon rival.

Tout ce que je sus, c'est qu'Elena rompit ses fiançailles le lendemain.

Elle le fit avec une indifférence exemplaire. Je fus très fière de son absence de sentiment.

Le prestige du séducteur à longs cheveux en prit un sacré coup.

Je jubilais.

Ce fut la seconde fois que je rendis grâce au communisme chinois.

A l'approche de l'hiver, la guerre s'intensifiait.

En effet, quand les glaces auraient pris le ghetto, nous savions que nous serions tous réquisitionnés, *volens nolens*, pour faire sauter à coups de pioche les océans de verglas qui immobiliseraient les véhicules.

Il fallait donc expectorer à l'avance notre quota d'agressivité.

Nous ne nous refusions rien.

Nous étions particulièrement fiers de notre nouveau détachement que nous appelions « la cohorte des vomisseurs ».

Nous avions découvert que certains d'entre nous possédaient une grâce d'élection : les fées qui s'étaient penchées sur leur berceau les avaient rendus capables de vomir presque à volonté.

Il suffisait que leur estomac fût lesté pour qu'il fût à même de se délester.

Ces gens forçaient l'admiration.

La plupart d'entre eux recouraient à la méthode classique du doigt enfoncé dans le gosier. Mais certains étaient beaucoup plus impressionnants : ils s'exécutaient par le seul pouvoir de leur volonté. Par une extraordinaire pénétration spirituelle, ils avaient accès aux centres émétiques du cerveau : ils se concentraient un peu et le tour était joué.

L'entretien de la cohorte des vomisseurs évoquait celui de certains avions : il fallait pouvoir les ravitailler en vol. Nous avions bien compris que vomir à vide n'était pas rationnel.

Les plus inutiles d'entre nous furent donc préposés au carburant émétique : ils devaient dérober aux cuisiniers chinois de la nourriture facile à manger. Les adultes eurent à constater d'importantes disparitions de petits-beurre, de raisins secs, de Vache qui rit, de lait concentré sucré, de chocolat et surtout d'huile et de café soluble — car nous avions découvert la pierre philosophale du vomi : un mélange d'huile de salade et de café soluble. C'était ce qui ressortait le plus vite.

(Détail émouvant : aucune des denrées précitées n'était disponible à Pékin. Tous les trois mois, nos parents devaient aller à Hong Kong pour le ravitaillement. Ces voyages leur coûtaient cher. Nous vomissions donc pour beaucoup d'argent.)

Le critère était le poids : les produits devaient être légers à transporter, ce qui éliminait d'emblée tous les aliments en bocaux de verre. Ceux qui véhiculaient tant de nourriture étaient appelés les « réservoirs ». Un vomisseur devait toujours être escorté d'au moins un réservoir. De belles amitiés pouvaient naître de ces relations complémentaires.

Pour les Allemands, il n'y avait pas de torture plus terrible. Les immersions dans l'arme secrète les faisaient souvent pleurer, mais avec dignité. Le dégueulis avait raison de leur honneur : ils hurlaient d'horreur dès que la substance les touchait, comme s'il s'était agi d'acide sulfurique. Un jour, l'un d'entre eux fut tellement dégoûté de cette aspersion qu'il vomit lui-même, pour notre plus grande joie.

Certes, la santé des vomisseurs se détraquait très vite. Mais ce sacerdoce leur valait tant de louanges de notre part qu'ils acceptaient le préjudice physique avec sérénité.

A mes yeux, leur prestige était sans égal. Je rêvais

de faire partie de la cohorte. Hélas, je n'avais aucune disposition pour y être enrôlée. J'avais beau avaler l'horrible pierre philosophale, je n'obtenais pas le résultat escompté.

Or, il fallait absolument que je réussisse une action d'éclat. Sans cela, Elena ne voudrait jamais de moi.

Je m'y préparais en grand secret.

Entre-temps, à l'école, ma bien-aimée avait repris sa solitude ambulatoire.

Mais je savais désormais qu'elle n'était pas inaccessible. Aussi la collais-je à chaque récréation, inconsciente de la sottise d'une telle méthode.

Je marchais à côté d'elle en lui parlant. Elle semblait à peine m'entendre. Cela m'était presque égal : son extrême beauté m'empêchait de penser.

Car Elena était vraiment superbe. Sa grâce italienne, exquise de civilisation, d'élégance et d'esprit, se mêlait au sang amérindien de sa mère, avec tout le lyrisme sauvage des sacrifices humains et autres admirables barbaries que ma naïveté pittoresque y attache encore. Le regard de la belle distillait à la fois le curare et Raphaël : de quoi tomber raide mort en une seconde.

Et la petite fille le savait bien.

Ce jour-là, dans la cour de l'école, je ne pus m'empêcher de lui dire ce grand classique qui, dans ma bouche, était un inédit d'une sincérité sans bornes :

— Tu es si belle que pour toi je ferais n'importe quoi.

— On me l'a déjà dit, observa-t-elle avec indifférence.

— Mais moi, c'est vrai, enchaînai-je, consciente

du *in cauda venenum* que sous-entendait ma réponse, eu égard à la récente affaire Fabrice.

J'eus droit à un petit regard narquois qui semblait dire : « Tu crois que tu me blesses ? »

Car il fallait en convenir : autant le Français avait souffert de la rupture, autant l'Italienne n'avait rien ressenti du tout, prouvant ainsi qu'elle n'avait jamais aimé son fiancé.

— Alors tu ferais n'importe quoi pour moi ? reprit-elle d'un ton amusé.

— Oui ! dis-je, espérant qu'elle m'ordonnerait le pire.

— Eh bien, je veux que tu fasses vingt fois le tour de la cour en courant, sans t'arrêter.

A l'énoncé, l'épreuve me parut dérisoire. Je partis à l'instant. Je courais comme un bolide, folle de joie. Mon enthousiasme décrut dès le dixième tour. Il chuta davantage quand je constatai qu'Elena ne me regardait pas, et pour cause : un ridicule était venu lui parler.

Je remplis néanmoins mon contrat, trop loyale (trop sotte) pour mentir, puis je vins au-devant de la belle et du tiers.

— Voilà, dis-je.

— Quoi ? daigna-t-elle demander.

— J'ai fait vingt fois le tour de la cour.

— Ah. J'avais oublié. Recommence, je ne t'ai pas vue.

Je repartis à l'instant. Je vis qu'elle ne me regardait pas davantage. Mais rien n'eût pu m'arrêter. Je découvrais que j'étais heureuse de courir : ma passion trouvait dans la vitesse des foulées une noble manière de s'exprimer et à défaut de récolter ce que j'espérais, j'éprouvais de grands élans de ferveur.

— Revoilà.

— Bien, dit-elle sans avoir l'air de me remarquer. Encore vingt tours.

Ni elle ni le ridicule ne semblaient même me voir.

Je courais. Je me répétais avec un début d'extase que je courais par amour. Simultanément, je sentais l'asthme s'emparer de moi. Pire : je me rappelais avoir dit à Elena que j'étais asthmatique. Elle ne savait pas ce que c'était et je le lui avais expliqué ; elle m'avait écoutée avec intérêt, pour une fois.

Elle m'avait donc donné cet ordre en pleine connaissance de cause.

Au terme des soixante tours, je revins à ma bien-aimée.

— Recommence.

— Tu te souviens de ce que je t'avais dit ? demandai-je timidement.

— Quoi donc ?

— L'asthme.

— Crois-tu que je te demanderais de courir si je ne m'en souvenais pas ? répondit-elle avec une indifférence absolue.

Subjuguée, je repartis.

Etat second. Je courais. Une voix soliloquait dans ma tête : « Tu veux que je me sabote pour toi ? C'est merveilleux. C'est digne de toi et digne de moi. Tu verras jusqu'où j'irai. »

Saboter était un verbe qui trouvait du répondant en moi. Je n'avais aucune notion d'étymologie mais dans « saboter », j'entendais sabot, et les sabots, c'étaient les pieds de mon cheval, c'étaient donc mes pieds véritables. Elena voulait que je me sabote pour elle : c'était vouloir que j'écrase mon être sous ce galop. Et je courais en pensant que le sol était mon corps et que je le piétinais pour obéir à la belle et que je le piétinerais jusqu'à son agonie. Je souriais à cette

92

perspective magnifique et j'accélérais mon sabotage en passant à la vitesse supérieure.

Ma résistance m'étonnait. Le vélo intensif — l'équitation — m'avait donné un sacré souffle en dépit de l'asthme. Il n'empêchait que je sentais la crise monter. L'air arrivait de moins en moins, la douleur devenait inhumaine.

La petite Italienne n'avait pas un regard pour ma course, mais rien, rien en ce monde n'eût pu m'arrêter.

Elle avait pensé à cette épreuve parce qu'elle me savait asthmatique ; elle ignorait à quel point son choix était judicieux. L'asthme ? Détail, simple défaut technique de ma carcasse. En vérité, ce qui comptait, c'était qu'elle me demandait de courir. Et la vitesse, c'était la vertu que j'honorais, c'était le blason de mon cheval — la pure vitesse, dont le but n'est pas de gagner du temps, mais d'échapper au temps et à toutes les glus que charrie la durée, au bourbier des pensées sans liesse, des corps tristes, des vies obèses et des ruminations poussives.

Toi, Elena, tu étais la belle, la lente — peut-être parce que toi seule pouvais te le permettre. Toi qui marchais toujours au ralenti, comme pour nous laisser t'admirer plus longtemps, tu m'avais, sans doute à ton insu, ordonné d'être moi, c'est-à-dire de n'être rien d'autre que ma vitesse, hébétée, bolide ivre de sa course.

Au quatre-vingt-huitième tour, la lumière se mit à décliner. Les visages des enfants noircirent. Le dernier des ventilateurs géants cessa de fonctionner. Mes poumons explosèrent de souffrance.

Syncope.

Quand je repris connaissance, j'étais au lit, chez moi. Ma mère me demanda ce qui était arrivé.

— Les enfants ont dit que tu n'arrêtais pas de courir.

— Je m'exerçais.

— Jure-moi que tu ne le feras plus.

— Je ne peux pas.

— Pourquoi ?

Je finis par tout avouer, par faiblesse. Je voulais qu'au moins une personne fût au courant de mon héroïsme. J'acceptais de mourir d'amour, mais il fallait que cela se sût.

Ma mère se lança alors dans une explication des lois de l'univers. Elle dit qu'il y avait sur terre des personnes très méchantes et, en effet, très séduisantes. Elle assurait que, si je voulais me faire aimer de l'une d'entre elles, il y avait une seule solution : il fallait que je devienne très méchante avec elle, moi aussi.

— Tu dois être avec elle comme elle est avec toi.

— Mais c'est impossible. Elle ne m'aime pas.

— Sois comme elle et elle t'aimera.

La sentence était sans appel. Je la trouvais absurde : moi, j'aimais qu'Elena n'ait pas mes manières. A quoi pouvait rimer un amour conçu comme un miroir ? Je résolus néanmoins d'essayer la technique de ma mère, ne fût-ce qu'à titre expérimental. Je partais du principe qu'une personne qui m'avait appris à lacer mes souliers ne pouvait pas dire n'importe quoi.

Les circonstances favorisèrent cette politique nouvelle.

Au cours d'une bataille, les Alliés avaient capturé le chef de l'armée allemande, un certain Werner, que nous n'avions jamais pu saisir jusqu'alors et qui, à nos yeux, incarnait le Mal.

Nous exultions. Il allait voir ce qu'il allait voir. Il aurait droit au grand jeu.

C'est-à-dire à tout.

Le général fut ligoté comme un saucisson et bâillonné à l'ouate mouillée. (Mouillée d'arme secrète, s'entend.)

Après deux heures d'orgie intellectuelle menaçante à souhait, Werner fut d'abord transporté au sommet de l'escalier de secours et suspendu dans le vide pendant un quart d'heure, au bout d'une ficelle pas très solide. A sa manière de se tortiller, on comprenait qu'il souffrait d'un vertige affreux.

Quand on le hissa jusqu'à la plate-forme, il était tout bleu.

Il fut ensuite redescendu à terre et torturé plus classiquement. On l'immergea à fond dans l'arme secrète pendant une minute, après quoi on le livra aux talents de cinq vomisseurs gavés à souhait.

C'était bien, mais notre agressivité restait sur sa faim. Nous ne savions plus quoi faire.

Je me dis que le moment était arrivé.

— Attendez, murmurai-je d'une voix si solennelle qu'elle imposa le silence.

Les enfants me regardèrent avec une certaine bienveillance parce que j'étais le bébé de l'armée. Mais ce que je fis m'éleva au rang de monstre guerrier.

Je m'approchai de la tête du général allemand.

J'annonçai, comme un musicien préciserait « allegro ma non troppo » avant un morceau :

— Debout, sans les mains.

Ma voix avait été aussi sobre que celle d'Elena.

Et je m'exécutai comme promis, juste entre les

deux yeux de Werner, qui s'écarquillèrent d'humiliation.

Une rumeur transie parcourut l'assemblée. On n'avait jamais vu ça.

Je m'en allai à pas lents. Mon visage n'affichait rien. Je délirais d'orgueil.

Je me sentais frappée par la gloire comme d'autres par la foudre. Les moindres de mes gestes me paraissaient augustes. J'avais l'impression de vivre une marche triomphale. Je toisais le ciel de Pékin avec superbe. Mon cheval serait content de moi.

C'était la nuit. L'Allemand fut laissé pour mort. Les Alliés l'avaient oublié à cause de mon prodige.

Le lendemain matin, ses parents le retrouvèrent. Ses vêtements et ses cheveux détrempés d'arme secrète avaient gelé, ainsi que les flots de vomi.

L'enfant contracta la bronchite du siècle.

Et ce ne fut rien, comparé au dommage moral qu'il avait subi. Il y eut même un élément de son récit qui fit croire aux siens qu'il avait perdu la raison.

A San Li Tun, la tension Est-Ouest atteignait son comble.

Ma fierté n'avait plus de limites.

A l'Ecole française, ma renommée se propagea comme une traînée de poudre.

Déjà, une semaine plus tôt, j'étais tombée en syncope. Et à présent, on découvrait mes talents de monstre. Pas de doute, j'étais quelqu'un.

Ma bien-aimée le sut.

Conformément aux instructions, j'affectais de ne plus m'apercevoir de son existence.

Un jour, dans la cour, elle s'approcha de moi — miracle sans précédent.

Elle me demanda avec une vague perplexité :

— C'est vrai, ce qu'on dit ?

— Que dit-on donc ? fis-je, sans même la regarder.

— Que tu le fais debout, sans les mains, et que tu peux viser ?

— C'est vrai, répondis-je avec dédain, comme s'il s'agissait d'une chose très ordinaire.

Et je continuai à marcher à pas lents, sans un mot de plus.

Simuler cette indifférence m'était une épreuve mais le procédé se révélait si efficace que j'avais le courage de continuer.

La neige arriva.

C'était mon troisième hiver au pays des Ventilateurs. Comme d'habitude, mon nez se transformait en Dame aux camélias, crachant le sang avec une belle prodigalité.

La neige était la seule chose qui pût cacher la laideur de Pékin. Et elle y parvenait pendant les dix premières heures de sa vie. Le béton chinois, le plus affreux béton du monde, disparaissait sous la blancheur confondante. Confondante au sens double du terme, car elle confondait aussi le ciel et la terre : à la faveur du blanc parfait, il était possible d'imaginer que d'immenses parcelles de néant avaient envahi des morceaux de la cité — et à Pékin, le néant, loin d'être un pis-aller, faisait figure de rédemption.

Par cette juxtaposition éphémère de vide et de plein, San Li Tun prenait des allures d'estampe.

On se serait presque cru en Chine.

Dix heures plus tard, la contamination s'inversait.

Le béton déteignait sur la neige, la laideur déteignait sur la beauté.

Et tout rentrait dans l'ordre.

Les nouvelles neiges n'y changeaient rien. Il est frappant de constater combien la laideur est toujours la plus forte : ainsi, à peine les flocons neufs atterrissaient-ils sur le sol pékinois qu'ils devenaient hideux.

Je n'aime pas les métaphores. Aussi ne dirai-je pas que la neige citadine est une métaphore de la vie. Je ne le dirai pas parce que ce n'est pas nécessaire : tout le monde l'a compris.

Un jour, j'écrirai un bouquin qui s'appellera *Neige de ville*. Ce sera le livre le plus triste de l'histoire des livres. Mais non, je ne l'écrirai pas. A quoi sert-il de raconter des horreurs que personne n'ignore ?

Alors, autant s'en débarrasser une fois pour toutes : qu'une chose aussi ravissante, aussi feutrée, aussi douce, aussi tournoyante, aussi légère que la neige puisse se transformer si vite en son contraire — un fatras gris, collant, figé, pesant, rugueux — est une saloperie dont je ne me remets pas.

A Pékin, je détestais l'hiver. Faire sauter à coups de pioche et de racloir l'épaisse couche de neige gelée qui immobilisait le ghetto me déplaisait foncièrement.

Et les autres enfants réquisitionnés pensaient comme moi.

La guerre était suspendue jusqu'au dégel — ce qui peut paraître paradoxal.

Pour nous dédommager de ces travaux de terrassement, les adultes nous emmenaient patiner le dimanche au lac du Palais d'Eté : ces expéditions me semblaient trop belles pour être vraies. L'immense eau gelée qui réfléchissait la lumière boréale et qui hurlait des bruits terribles sous les patins me mettait dans une telle extase que j'attrapais des maux de tête. Je n'avais pas de défense immunitaire contre la beauté.

Les autres jours, dès que nous rentrions de l'école, pelles et pioches.

Tous les enfants y étaient collés.

A deux exceptions près, et non des moindres : les très précieux Claudio et Elena.

Leur mère avait décrété que ses petits étaient trop fragiles pour une si rude besogne.

Dans le cas de la belle, il n'y eut aucune protestation.

Mais l'exemption du grand frère accrut encore sa remarquable impopularité.

Emballée dans un vieux manteau et une chapka chinoise en peau de chèvre, je m'évertuais à faire sauter la glace. Comme San Li Tun ressemblait à s'y méprendre à un pénitencier, j'avais l'impression d'être condamnée aux travaux forcés.

Plus tard, quand je serais Prix Nobel de médecine ou martyre, je raconterais que, suite à des faits d'armes, j'avais purgé une peine au bagne de Pékin.

Il ne me manquait plus qu'un boulet.

Apparition : une délicate créature vêtue d'une cape blanche vint au-devant de moi. Ses très longs cheveux noirs lâchés sortaient d'un petit béret de feutre blanc.

Elle était si belle que je crus défaillir, ce qui eût été une solution avantageuse.

Mais la consigne n'avait pas changé. Je fis semblant de ne pas l'avoir vue et je donnai un grand coup de pioche dans la neige gelée.

— Je m'ennuie. Viens jouer avec moi.

Elle avait vraiment une voix d'hermine.

— Tu ne vois pas que j'ai du travail ? répondis-je, aussi désagréable que possible.

— Il y a bien assez d'autres enfants pour le faire, dit-elle en désignant la multitude de gosses qui sarclaient la glace autour de moi.

— Je ne suis pas une sainte-nitouche, moi. J'aurais honte de ne rien faire.

J'avais surtout honte de dire une chose pareille, mais c'était la consigne.

Silence. Je repris le dur labeur.

Elena réussit alors un coup de théâtre.

— Donne-moi la pioche, dit-elle.

Eberluée, je la regardai sans rien dire.

Elle s'empara de mon outil, le hissa en l'air au prix d'un effort pathétique et le cala sur le sol. Puis elle fit mine de recommencer.

Il me semblait n'avoir jamais vu sacrilège aussi insoutenable.

Je lui arrachai l'instrument et lui ordonnai d'une voix très dure :

— Non ! Pas toi !

— Pourquoi ? demanda l'hermine avec une expression angélique.

Je ne répondis rien et je piochai, le nez par terre.

Ma bien-aimée s'en alla à pas lents, très consciente d'avoir marqué un point.

L'école rendait la guerre encore plus cathartique.

La guerre servait à démolir l'ennemi, et donc à ne pas se démolir soi-même.

L'école servait à régler ses comptes avec les Alliés.

Ainsi, la guerre servait à vidanger l'agressivité sécrétée par la vie.

Et l'école servait à épurer l'agressivité sécrétée par la guerre.

Moyennant quoi, nous étions très heureux.

Mais l'affaire Werner provoqua des remous parmi les adultes.

Les parents d'Allemagne de l'Est firent savoir aux parents des Alliés que cette fois, leurs enfants étaient allés trop loin.

Puisqu'ils ne pouvaient exiger le châtiment des coupables, ils réclamaient l'armistice. Faute de quoi s'ensuivraient « des représailles diplomatiques ».

Nos parents leur donnèrent raison immédiatement. Nous eûmes honte pour eux.

Une délégation adulte vint admonester nos généraux. Elle allégua que la guerre froide n'était pas compatible avec notre guerre brûlante. Il fallait arrêter.

Il n'y avait pas de discussion possible. C'étaient les parents qui possédaient la nourriture, les lits et les voitures. Pas moyen de désobéir.

Nos généraux eurent néanmoins le cran de faire valoir que nous avions besoin d'ennemis.

— Pourquoi ?

— Mais pour la guerre !

Nous n'en revenions pas que l'on pût poser une question aussi tautologique.

— Vous avez vraiment besoin de guerre ? demandèrent les adultes avec un air accablé.

Nous comprîmes à quel point ils étaient dégénérés et nous ne répondîmes pas.

De toute façon, aussi longtemps que durerait le gel, les hostilités seraient suspendues.

Les parents crurent que nous avions signé l'armistice. En fait, nous attendions la débâcle.

L'hiver fut une épreuve.

Epreuve pour les Chinois qui crevaient de froid —

ce qui, il faut l'avouer, ne préoccupait pas les enfants de San Li Tun.

Epreuve pour les enfants de San Li Tun condamnés à piocher la glace du ghetto pendant leur temps libre.

Epreuve pour notre agressivité contenue jusqu'au printemps : la guerre nous apparaissait comme un Graal. Mais la couche de neige gelée à déblayer augmentait chaque nuit et nous avions l'impression de nous éloigner du mois de mars. On eût pu croire que piocher assouvissait notre soif de violence : au contraire. C'était de l'huile sur le feu. Certains blocs de glace étaient si durs que, pour nous donner plus de force, nous imaginions que nous abattions les pics sur de la chair allemande.

Epreuve pour moi, enfin, sur tous les fronts de mon amour. Je respectais la consigne à la lettre et j'étais vis-à-vis d'Elena aussi froide que cet hiver pékinois.

Or, plus je collais à la consigne, plus la petite Italienne me couvait de son grand regard tendre. Oui, tendre. Je n'eusse jamais imaginé qu'elle pût avoir cette expression un jour. Et pour moi !

Je ne pouvais pas savoir qu'elle et moi appartenions à deux espèces différentes. Elena faisait partie de ceux qui aiment davantage quand on leur bat froid. Moi, c'était le contraire : plus je me sentais aimée, plus j'aimais.

Certes, je n'avais pas attendu que la belle me regardât avec tendresse pour tomber amoureuse d'elle. Mais ses nouvelles dispositions à mon endroit décuplaient ma passion.

Et j'en arrivais à délirer d'amour. La nuit, dans mon lit, je revoyais les yeux doux qui m'avaient caressée et j'atteignais un état hybride, mi-tremblement mi-pâmoison.

Je me demandais ce que j'attendais pour céder. Je ne doutais plus de son amour. Il ne me restait qu'à y répondre.

Je n'osais pas. Je sentais que ma passion avait pris des proportions formidables. La déclarer m'entraînerait très loin : il y faudrait plus que du langage, il y faudrait cet au-delà devant lequel j'étais démunie à force de ne pas comprendre — à force d'entrevoir sans comprendre.

Et je m'en tenais à la consigne qui était de plus en plus pénible, mais dont le mode d'emploi ne posait pas mystère.

Et les œillades d'Elena se faisaient de plus en plus insistantes, de plus en plus déchirantes, car moins un visage est conçu pour la douceur, plus sa douceur sera confondante — et la douceur de ses yeux sagittaires et la douceur de sa bouche de peste me congestionnaient.

Du coup, j'éprouvais le besoin de me blinder davantage, et je devenais glaciale et coupante comme la grêle — et le regard de la belle se veloutait de tendresse aimante.

C'était insoutenable.

Comble de cruauté, la neige.

La neige, qui avait beau être laide et grise comme la Cité des Ventilateurs, n'en était pas moins de la neige.

La neige, dans laquelle mes tâtonnements analphabètes avaient vu l'image de l'amour par excellence, ce qui n'était certainement pas gratuit.

La neige, pas innocente du tout sous sa béatitude candide.

La neige, où je lisais des questions qui me donnaient très chaud et puis très froid.

La neige, sale et dure, que je finissais par manger dans l'espoir d'y trouver une réponse, en vain.

La neige, eau éclatée, sable de gel, sel non pas de la terre, mais du ciel, sel non salé, au goût de silex, à la texture de gemme pilée, au parfum de froidure, pigment du blanc, seule couleur qui tombe des nuages.

La neige qui amortit tout — les bruits, les chutes, le temps — pour mieux mettre en valeur les choses éternelles et immuables comme le sang, la lumière, les illusions.

La neige, premier papier de l'Histoire, sur lequel furent écrites tant de traces de pas, tant de poursuites sans merci, la neige qui fut donc le premier genre littéraire, immense livre à fleur de terre où il n'était question que de pistes de chasse ou de l'itinéraire de son ennemi, sorte d'épopée géographique qui donnait au moindre signe une valeur d'énigme — ce pied-là était-il celui de son frère ou du meurtrier de son frère ?

De ce bouquin kilométrique et inachevé, qui pourrait s'intituler *Le Plus Vaste Livre du monde*, il ne nous est resté aucun fragment — c'est le contraire de la bibliothèque d'Alexandrie : tous les textes ont fondu. Mais il a dû nous en demeurer une lointaine réminiscence qui resurgit à chaque nouvelle neige, sorte d'angoisse de la page blanche qui donne une terrible envie de fouler les espaces encore vierges, et instinct d'exégète dès que l'on croise la trace d'un autre.

Au fond, c'est la neige qui a inventé le mystère. Par le fait même, c'est elle qui a inventé la poésie, l'estampe, le point d'interrogation — et ce grand jeu de piste qu'est l'amour.

La neige, faux linceul, grand idéogramme vide où je décryptais l'infini des sensations que je voulais offrir à ma bien-aimée.

Je ne me préoccupais pas de savoir si mon désir inconnu était pur ou impur.

Je sentais seulement que cette neige rendait Elena encore plus irrésistible, le mystère encore plus frissonnant et la consigne encore plus insupportable.

Jamais printemps ne fut aussi guetté.

Il faut se méfier des fleurs.

Surtout à Pékin.

Mais le communisme était pour moi une affaire de ventilateurs, et l'épisode des Cent Fleurs m'était aussi inconnu que Hô Chi Minh ou Wittgenstein.

De toute façon, avec les fleurs, les avertissements ne servent à rien : on tombe toujours dans le panneau.

Qu'est-ce qu'une fleur ? Un sexe géant qui s'est mis sur son trente et un.

Cette vérité est sue depuis longtemps ; ce qui n'empêche pas les grands dadais que nous sommes de parler de la délicatesse des fleurs avec mièvrerie. On va jusqu'à dire des soupirants niais qu'ils sont fleur bleue : c'est aussi incongru et inadéquat que de les déclarer « sexe bleu ».

A San Li Tun, il y avait très peu de fleurs, et elles étaient moches.

Mais c'étaient quand même des fleurs.

Les fleurs de serre sont belles comme des mannequins, mais elles n'ont pas d'odeur. Les fleurs du ghetto paraissaient fagotées : certaines étaient aussi vilaines que des paysannes allant à la métropole, d'autres étaient aussi inélégantes que des citadines à la campagne. Toutes semblaient à côté de la question.

Pourtant, si l'on enfouissait son nez en leur corolle, si l'on fermait les yeux et se bouchait les oreilles, on avait envie de pleurer — que peut-il donc y avoir, au fond des fleurs les plus quelconques, au parfum banalement agréable, que peut-il donc y avoir de si déchirant, pourquoi cette nostalgie de souvenirs qui ne sont pas les siens, de jardins qu'on n'a jamais connus, de beautés impériales dont on n'a jamais entendu parler ? Par quelle conséquence la Révolution culturelle n'a-t-elle pas interdit aux fleurs de sentir la fleur ?

A l'ombre du ghetto en fleurs, la guerre put enfin recommencer.

Ce fut la débâcle, dans tous les sens du terme.

En 1972, les adultes avaient récupéré notre guerre. Ce qui nous indifféra profondément.

Au printemps 1975, ils la sabotèrent. Ce qui nous écœura.

A peine la glace avait-elle fondu, à peine nos travaux forcés étaient-ils terminés, à peine avions-nous repris le combat, avec extase et frénésie, que les parents offusqués vinrent jouer les rabat-joie :

— Et l'armistice ?

— Nous n'avons jamais rien signé.

— Parce qu'il vous faut des signatures ? Très bien. Nous nous en occupons.

Ce fut un cauchemar du dernier grotesque.

Les adultes dactylographièrent un traité de paix amphigourique à souhait.

Ils convoquèrent les généraux des camps adverses à une « table de négociations » où il n'y eut rien à négocier. Ils lurent à haute voix le texte français et le texte allemand : nous ne comprîmes aucun des deux.

Nous avions seulement le droit de signer.

Par la grâce de cette humiliation commune, nous n'avions jamais ressenti une sympathie aussi profonde pour nos ennemis. Et c'était visiblement réciproque.

Même Werner, qui était à l'origine de cette parodie d'armistice, paraissait dégoûté.

Au terme de ces signatures d'opérette, les adultes crurent de bon ton de nous faire porter un toast à la limonade gazeuse dans des verres à pied. Ils semblaient contents et soulagés, ils souriaient. Le secrétaire de l'ambassade d'Allemagne de l'Est, un Aryen affable et déguenillé, chanta une petite chanson.

Et ce fut ainsi que, après avoir récupéré notre guerre, les parents récupérèrent notre paix.

Nous avions honte pour eux.

Le résultat paradoxal de ce traité artificiel fut un engouement réciproque.

Les anciens ennemis tombèrent dans les bras les uns des autres, pleurant de colère contre leurs aînés.

Jamais Allemands de l'Est n'avaient été aussi aimés de par le monde.

Werner sanglotait. Nous l'embrassions : il avait trahi, mais c'était de bonne guerre.

Pléonasme : c'était de guerre, donc forcément bon.

La nostalgie commençait déjà. Nous échangions, en anglais, de beaux souvenirs de combats et de tortures. On eût cru une scène de réconciliation dans un film américain.

La première — non, la seule chose à faire était de nous trouver un ennemi nouveau.

N'est pas ennemi qui veut : il y avait des critères à satisfaire.

Le premier était géographique : il fallait que la nation élue fût installée à San Li Tun.

Le second critère était historique : il ne fallait pas se battre contre d'anciens Alliés. Certes, on n'est jamais trahi que par les siens, certes, il n'est de pire danger que ses amis : mais on ne peut pas attaquer son frère, on ne peut pas s'en prendre à celui qui, au front, a vomi à ses côtés, a fait ses besoins dans la même cuve. Ce serait pécher contre l'esprit.

Le troisième critère effleurait l'irrationnel : il fallait que l'ennemi eût quelque chose de détestable. Et là, tous les registres étaient envisageables.

Certains proposèrent les Albanais ou les Bulgares, pour cette raison un peu futile qu'ils étaient communistes. La suggestion ne récolta aucun suffrage : les pays de l'Est, on avait déjà donné, et on avait vu ce que ça nous avait valu.

— Et les Péruviens ? dit quelqu'un.

— Pourquoi détester un Péruvien ? demanda l'un d'entre nous — question d'une belle simplicité métaphysique.

— Parce qu'ils ne parlent pas notre langue, répondit un lointain ressortissant de Babel.

Evidemment, c'était une bonne raison.

Un petit ensembliste fit observer qu'à ce compte-là, nous pouvions aussi bien déclarer la guerre aux trois quarts du ghetto, et même à la Chine entière.

— C'est donc une bonne raison, mais pas suffisante.

Nous continuâmes cet épluchage de nationalités jusqu'à ce qu'une illumination se produisît en moi :

— Les Népalais, exultai-je.

— Pourquoi détester un Népalais ?

À cette question digne de Montesquieu, je donnai une réponse éblouissante :

— Parce que c'est le seul pays au monde qui n'a pas un drapeau rectangulaire.

Un silence de scandale frappa l'assemblée.

— C'est vrai ? demanda une voix déjà rauque.

Je me lançai dans une description du drapeau népalais, assemblage de triangles, diabolo coupé en deux dans le sens de la longueur.

Les Népalais furent déclarés ennemis sur l'heure.

— Ah, les salauds !

— On va leur apprendre, à ces Népalais, on va leur apprendre à ne pas avoir un drapeau rectangulaire, comme tout le monde !

— Pour qui se prennent-ils, ces Népalais ?

La haine fonctionnait.

Les Allemands de l'Est étaient aussi outrés que nous. Ils demandèrent à faire partie des Alliés pour cette belle croisade contre les drapeaux non rectangulaires. Nous ne fûmes que trop heureux de les enrôler. Se battre aux côtés de ceux qui nous avaient rossés et que nous avions torturés, ce serait émouvant.

Les Népalais se révélèrent des ennemis singuliers.

Ils étaient infiniment moins nombreux que les Alliés. Au premier abord, ce détail nous parut sympathique. Que l'on pût avoir honte de la disproportion ne nous fût jamais venu à l'esprit. C'était plutôt agréable, cette supériorité numérique.

Leur moyenne d'âge était supérieure à la nôtre. Certains avaient déjà quinze ans : le seuil de la sénilité. Raison de plus pour les haïr.

Nous leur déclarâmes la guerre avec une transparence sans exemple : les deux premiers Népalais qui passèrent par là se virent assaillir par une soixantaine d'enfants.

Quand nous les relâchâmes, ils n'étaient plus que plaies et bosses.

Ces malheureux petits montagnards, à peine descendus de leur Himalaya, ne comprirent rien à la situation.

Les enfants de Katmandou, qui devaient être sept au maximum, tinrent conseil. Ils adoptèrent la seule politique possible : la lutte — vu nos méthodes, ils avaient compris que des négociations diplomatiques ne serviraient à rien.

Il faut reconnaître que le comportement des gosses de San Li Tun était la négation absolue des lois de l'hérédité. Le métier de nos parents consistait à réduire autant que possible les tensions internationales. Et nous, nous faisions juste le contraire. Ayez des enfants.

Mais là, nous innovions : une alliance aussi puissante, une telle guerre mondiale, tout ça contre un pauvre petit pays sans envergure idéologique, sans aucune influence, c'était original.

En outre, à notre insu, nous complétions la politique chinoise. Pendant que les soldats maoïstes investissaient le Tibet, nous attaquions la chaîne de montagnes par un autre flanc.

Rien ne fut épargné à l'Himalaya.

Mais les Népalais nous étonnèrent. Nous découvrîmes qu'ils étaient des soldats terribles : leur brutalité dépassait tout ce que nous avions connu en trois ans de guerre contre les Allemands de l'Est, qui étaient pourtant loin d'être des mauviettes.

Les enfants de Katmandou avaient un coup de poing et un coup de pied d'une vivacité et d'une précision inégalées. A sept, ils étaient un ennemi redoutable.

Nous ignorions ce que l'Histoire a prouvé à plusieurs reprises : aucun continent n'arrive à la cheville de l'Asie pour ce qui est de la violence.

Nous étions bien attrapés, mais pas mécontents de l'être.

Elena demeurait au-dessus de la mêlée.

Plus tard, j'ai lu une histoire obscure, où il était question d'une guerre entre Troie et les Grecs. Tout avait commencé à cause d'une superbe créature qui s'appelait Hélène.

Détail qui me fit sourire, on s'en doute.

Evidemment, je ne pouvais prétendre au parallélisme. La guerre de San Li Tun n'avait pas commencé à cause d'Elena. Et cette dernière ne voulut jamais y être mêlée.

Bizarrement, *L'Iliade* m'a moins renseignée sur San Li Tun que San Li Tun sur *L'Iliade*. D'abord, je suis sûre que je n'eusse pas été si sensible à *L'Iliade* si je n'avais pas pris part à la guerre du ghetto. Pour moi, ce ne fut pas le mythe qui avait été fondateur, mais l'expérience. Et j'ose croire que cette expérience m'a éclairé certains points du mythe. En particulier sur le personnage d'Hélène.

Existe-t-il histoire plus flatteuse pour une femme que *L'Iliade* ? Deux civilisations s'étripent sans merci et jusqu'au bout, l'Olympe s'en mêle, l'intelligence militaire connaît ses lettres de noblesse, un monde disparaît — et tout ça pour quoi, pour qui ? Pour une belle fille.

On imagine volontiers la coquette se vantant auprès de ses amies :

— Oui, mes chéries, un génocide et des interventions divines pour moi toute seule ! Et je n'ai rien fait pour ça. Que voulez-vous, je suis belle, je n'y puis rien.

Les reprises du mythe ont fait écho à cette futilité outrancière d'Hélène, qui devenait la caricature de la ravissante égoïste, trouvant normal et même charmant que l'on s'entre-tue en son nom.

Mais moi, quand je faisais la guerre, j'ai rencontré la belle Hélène, et je suis tombée amoureuse d'elle, et à cause de cela j'ai une autre vision de *L'Iliade*.

Parce que j'ai vu comment était la belle Hélène, comment elle réagissait. Et cela m'incline à croire que sa lointaine ascendante homonyme était comme elle.

Ainsi, je pense que la belle Hélène se foutait de la guerre de Troie à un point difficile à concevoir. Je ne pense pas qu'elle en tirait vanité : c'eût été faire trop d'honneur aux armées humaines.

Je pense qu'elle restait infiniment au-dessus de cette histoire et qu'elle se regardait dans les miroirs.

Je pense qu'elle avait besoin d'être regardée — et peu lui importait que ce fussent des regards de guerriers ou des regards de pacificateurs : des regards, elle attendait qu'ils lui parlent d'elle, et d'elle seule, pas de ceux qui les lui adressaient.

Je pense qu'elle avait besoin d'être aimée. D'aimer, non : ce n'était pas dans ses cordes. A chacun sa spécialité.

Aimer Pâris ? Cela m'étonnerait. Mais aimer que Pâris l'aime, et n'avoir cure de ce que Pâris pouvait faire d'autre.

Alors qu'est-ce que la guerre de Troie ? Une barbarie monstrueuse, sanguinaire, déshonorante et injuste, commise au nom d'une belle qui s'en foutait autant que possible.

Et toutes les guerres sont la guerre de Troie, et toutes les nobles causes pour les beaux yeux desquelles on les livre s'en foutent.

Car la seule sincérité de la guerre est celle qu'on ne dit pas : si on fait la guerre, c'est parce qu'on l'aime et parce que c'est un bon passe-temps. Et on trouvera toujours une noble cause aux beaux yeux.

Aussi la belle Hélène avait-elle raison de ne pas se sentir concernée et de se regarder dans les miroirs.

Et elle me plaît beaucoup, cette Hélène-là, que j'ai aimée, en 1974, à Pékin.

Tant de gens se croient avides de guerre alors qu'ils rêvent de duel. Et *L'Iliade* donne parfois l'illusion d'être la juxtaposition de plusieurs rivalités d'élection : chaque héros trouve dans le camp adverse son ennemi désigné, mythique, celui qui l'obsédera jusqu'à ce qu'il l'ait anéanti, et inversement. Mais ça, ce n'est pas la guerre : c'est de l'amour, avec tout l'orgueil et l'individualisme que cela suppose. Qui ne rêve pas d'une belle rixe contre un ennemi de toujours, un ennemi qui serait sien ? Et que ne ferait-on pas pour avoir affaire à un adversaire digne de soi ?

Ainsi, de toutes les luttes auxquelles j'ai pris part à San Li Tun, celle qui m'a le mieux préparée à lire *L'Iliade* fut mon amour pour Elena. Car parmi tant d'assauts confus et de mêlées, ce fut mon seul combat singulier, ce fut la joute qui répondit enfin à mes aspirations les plus hautes.

Ce ne fut pas le corps à corps espéré, mais ce fut pour ainsi dire un esprit à esprit, et non des moindres. Grâce à Elena, je l'aurai eu, mon duel.

Et je n'ai pas besoin de préciser que l'adversaire était à la hauteur.

Pâris, ce n'était pas moi.

Mais Elena me regardait à présent de telle manière que je finissais par ne plus être si sûre de mon identité.

Je savais que je craquerais un jour ou l'autre.

Ce jour arriva.

C'était au printemps, forcément, et les fleurs du ghetto avaient beau être laides, elles n'en faisaient pas moins leur boulot de fleurs, comme d'honnêtes travailleuses dans une commune populaire.

Il y avait de la priapée dans l'air. Les ventilateurs géants la propageaient partout.

Y compris à l'école.

C'était un vendredi. Je n'avais plus mis les pieds en classe depuis une semaine à cause d'une bronchite que j'avais espéré prolonger d'un jour pour faire le pont, en vain. Je m'étais évertuée à expliquer à ma mère que perdre une semaine entière d'enseignement pékinois ne représenterait pas un manque à gagner intellectuel, que je m'instruisais cent fois plus en lisant la première traduction des contes des *Mille et Une Nuits* dans mon lit et que je me sentais encore un peu faible ; elle ne voulait rien comprendre et me reservait un argument irritant :

— Si tu es malade vendredi, je te garde au lit samedi et dimanche pour ta convalescence.

Il fallut donc obtempérer et retourner à l'école en ce vendredi dont je ne savais pas encore qu'il s'agissait du jour attribué à Vénus par les uns, à la crucifixion par les autres et au feu par d'autres encore, ce qui, a posteriori, ne me paraît pas incohérent. Les vendredis de ma vie ont d'ailleurs poussé la rigueur étymologique jusqu'à conjuguer ces trois sens à de multiples reprises.

Une longue absence a toujours pour effet d'anoblir

et d'exclure. Le prestige de la maladie m'isolait un peu et je pus mieux me concentrer sur la fabrication des modèles les plus sophistiqués de petits avions en papier.

Récréation. Le mot est clair : il s'agit de se créer à nouveau. L'expérience me prouverait plutôt le contraire : la majorité des récréations auxquelles j'ai pris part ont viré à l'entreprise de démolition — et pas forcément à la démolition d'autrui.

Mais pour moi les récréations étaient saintes car elles me permettaient de voir Elena.

Je venais de passer sept jours sans même l'apercevoir. Sept jours, c'est plus de temps qu'il n'en faut pour créer l'univers : c'est l'éternité.

L'éternité sans ma bien-aimée avait été une épreuve. Certes, mes relations avec elle se limitaient, depuis la consigne, à des regards dérobés, mais ces visions furtives étaient l'essentiel de ma vie : voir le visage de ce qu'on aime, surtout quand ce visage est beau, a de quoi combler un cœur peu nourri.

Le mien crevait de faim au point que, comme les chats trop affamés, il n'osait pas manger : je n'osais même pas chercher Elena des yeux. Je marchais dans la cour en regardant par terre.

A cause du dégel encore récent, le sol était un bourbier. Je posais les pieds avec précaution sur des îlots moins détrempés. Ça m'occupait.

Je vis arriver deux pieds menus, finement chaussés, qui marchaient à pas gracieux et insoucieux de la boue.

Elle me regardait avec un air !

Et elle était si belle, de cette beauté qui me bourrait la tête du leitmotiv idiot et déjà mentionné : « Il faut faire quelque chose. »

Elle me demanda :

— Tu es guérie, maintenant ?

Un ange venu voir son frère à l'hôpital n'eût pas eu une voix différente.

Guérie ? Tu parles.

— Ça va.

— Tu m'as manqué. J'ai voulu te rendre visite mais ta mère a dit que tu étais trop malade.

Ayez des parents ! J'essayai au moins de tirer parti de cette nouvelle suffocante :

— Oui, fis-je avec une gravité détachée. J'ai failli mourir.

— Vraiment ?

— Ce n'est pas la première fois, répondis-je en haussant les épaules.

Avoir côtoyé la mort à plusieurs reprises constituerait d'admirables lettres de noblesse. J'avais des relations.

— Alors, tu vas pouvoir recommencer à jouer avec moi ?

Elle me faisait des propositions !

— Mais je n'ai jamais joué avec toi.

— Et tu n'as pas envie ?

— Je n'ai jamais eu envie.

Elle eut une voix triste :

— Ce n'est pas vrai. Avant, tu avais envie. Tu ne m'aimes plus.

Là, il fallait que je parte tout de suite, ou j'allais dire l'irréparable.

Je tournai les talons et cherchai un endroit où poser le pied. J'étais tellement tendue que je ne distinguais plus la terre des flaques.

J'essayais de réfléchir quand Elena prononça mon nom.

C'était la première fois.

Je ressentis un malaise extraordinaire. Je ne savais

même pas si c'était agréable ou non. Mon corps se figea des pieds à la tête, statue sur un socle de boue.

La petite Italienne me contourna à 180 degrés, marchant à travers tout, indifférente au sort de ses souliers raffinés. La vue de ses pieds dans la boue me consternait.

Elle se retrouva face à moi.

Le bouquet : elle pleurait.

— Pourquoi tu ne m'aimes plus ?

Je ne sais pas si elle possédait la faculté de pleurer sur commande. Quoi qu'il en fût, ses larmes étaient très convaincantes.

Elle pleurait avec un art consommé : juste un peu, de sorte que ce ne fût pas inesthétique, et les yeux grands ouverts, de manière à ne pas occulter son regard magnifique et à afficher la lente genèse de chaque larme.

Elle ne bougeait pas, elle voulait que j'assiste au spectacle entier. Son visage était d'une immobilité absolue : elle ne cillait même pas — comme si elle avait dégagé la scène de tous ses décors et dépouillé l'action de ses péripéties pour mieux mettre en valeur le prodige.

Elena qui pleurait : contradiction dans les termes.

Et je ne bougeais pas plus qu'elle, et j'avais les yeux dans les siens : c'était comme si nous jouions à la première qui cillerait. Mais le vrai bras de fer de ce regard se passait bien plus profond.

Je sentais que c'était un combat et j'en ignorais l'enjeu — et je savais qu'elle le connaissait, qu'elle savait où elle voulait en venir et où elle voulait me mener et qu'elle savait que je ne le savais pas.

Elle se battait bien. Elle se battait comme si elle me connaissait depuis toujours, comme si elle voyait mes points faibles aux rayons X. Si elle n'avait pas été si fine guerrière, elle ne m'eût pas adressé ce regard blessé, qui eût fait rire un être sain d'esprit mais qui torpillait mon pauvre cœur grotesque.

Je n'avais lu que deux livres : la Bible et les contes des *Mille et Une Nuits*. Ces mauvaises lectures m'avaient contaminée d'un sentimentalisme moyen-oriental dont j'avais déjà honte à l'époque. Il faudrait censurer ces bouquins.

Là, c'était précisément ma lutte avec l'ange, et j'avais l'impression de m'en tirer aussi bien que Jacob. Je ne cillais pas et mon regard ne trahissait rien.

Je ne sais et je ne saurai jamais si les larmes d'Elena étaient sincères. Si je le savais, je pourrais à présent déterminer si ce qui suivit fut de sa part un coup de maître ou un coup de chance.

Peut-être fut-ce les deux à la fois, c'est-à-dire un risque.

Elle baissa les yeux.

C'était une défaite beaucoup plus forte que ciller.

Elle baissa carrément la tête, comme pour souligner qu'elle avait perdu.

Et en vertu des lois de la gravitation universelle, cette inclinaison du visage vida ses réserves lacrymales, et je vis deux cascades silencieuses déferler sur ses joues.

J'avais donc gagné. Mais il faut croire que cette victoire me fut insupportable.

Je me mis à parler ; je dis tout ce qu'il ne fallait pas dire :

— Elena, j'ai menti. Ça fait des mois que je mens.

Deux yeux se redressèrent. Je m'étonnai de leur absence d'étonnement : ils étaient seulement à l'affût.

Il était déjà trop tard.

— Je t'aime. Je n'ai pas arrêté de t'aimer. Je ne te regardais plus à cause de la consigne. Mais je te regardais quand même, en cachette, parce que je ne peux pas m'empêcher de te regarder, parce que tu es la plus belle et parce que je t'aime.

Une peste moins cruelle qu'elle eût déjà dit quelque chose comme : « N'en jetez plus ! » Elena ne disait rien et me regardait avec un intérêt médical. Je m'en rendais compte.

L'erreur, c'est comme l'alcool : on est très vite conscient d'être allé trop loin, mais plutôt que d'avoir la sagesse de s'arrêter pour limiter les dégâts, une sorte de rage dont l'origine est étrangère à l'ivresse oblige à continuer. Cette fureur, si bizarre que cela puisse paraître, pourrait s'appeler orgueil : orgueil de clamer que, envers et contre tout, on avait raison de boire et raison de se tromper. Persister dans l'erreur ou dans l'alcool prend alors une valeur d'argument, de défi à la logique : si je m'obstine, c'est donc que j'ai raison, quoi que l'on puisse penser. Et je m'obstinerai jusqu'à ce que les éléments me donnent raison — je deviendrai alcoolique, j'achèterai la carte du parti de mon erreur, en attendant que je roule sous la table ou que l'on se fiche de moi, avec le vague espoir agressif d'être la risée du monde entier, persuadée que dans dix ans, dans dix siècles, le temps, l'Histoire ou la Légende finiront par me donner raison, ce qui n'aura d'ailleurs plus aucun sens, puisque le temps cautionne tout, puisque chaque erreur et chaque vice aura son âge d'or, puisque se tromper est toujours une question d'époque.

En fait, les gens qui s'obstinent dans leurs torts sont des mystiques : car ils savent bien, au fond d'eux-mêmes, qu'ils investissent à trop long terme, qu'ils seront morts longtemps avant la caution de l'Histoire, mais ils se projettent dans l'avenir avec une émotion messianique, persuadés qu'on se souviendra d'eux — qu'au siècle d'or des alcooliques on dira : « Machin, pilier de bar, était un précurseur », et qu'à l'apogée de l'Idiotie on leur vouera un culte.

Ainsi, en ce mois de mars 1975, je sus aussitôt que je me trompais. Et comme j'avais assez de foi pour être une vraie imbécile, c'est-à-dire pour avoir le sens de l'honneur, je pris le parti de m'enfoncer :

— Maintenant je ne ferai plus semblant. Ou peut-être que je recommencerai, mais alors tu sauras que je fais semblant.

Là, j'allais vraiment trop loin.

Elena dut trouver qu'à ce degré d'exagération, ce n'était plus drôle. Elle dit avec une indifférence écrasante que confirmait son regard :

— C'est tout ce que je voulais savoir.

Elle tourna les talons et partit à pas lents qui s'enfonçaient à peine dans la boue.

J'avais beau être déjà au courant de mon erreur, je ne pus en tolérer les conséquences. En outre, je trouvais qu'on m'envoyait trop vite la note de frais : je n'avais même pas eu le temps de savourer mes torts.

Je sautai à pieds joints dans la gadoue pour poursuivre la belle.

— Et toi, Elena, tu m'aimes ?

Elle me regarda, l'air poli et absent, ce qui constituait une réponse éloquente, et continua à marcher.

Je le ressentis comme une gifle. Mes joues cuisaient de colère, de désespoir et d'humiliation.

Il arrive que l'orgueil fasse perdre le sens de la dignité. Quand s'y ajoute un amour fou et bafoué, cette débâcle peut prendre des proportions terribles.

D'un bond dans la boue, je rejoignis ma bien-aimée.

— Ah non ! C'est trop facile ! Si tu veux me faire souffrir, il faut que tu me regardes souffrir.

— Pourquoi ? C'est intéressant ? dit la voix d'hermine.

— Ce n'est pas mon problème, ça. Tu m'as demandé de souffrir, alors tu me regardes souffrir.

— Je t'ai demandé quelque chose ? fit-elle, neutre comme la Suisse.

— C'est le comble !

— Pourquoi tu parles si fort ? Tu veux que tout le monde t'entende ?

— Oui, je le veux !

— Ah bon.

— Oui, je veux que tout le monde sache.

— Que tout le monde sache que tu souffres et qu'il faut te regarder souffrir ?

— Voilà !

— Ah.

Son indifférence absolue était inversement proportionnelle à l'intérêt croissant des enfants pour notre manège. Un petit cercle se formait autour de nous.

— Arrête de marcher ! Regarde-moi !

Elle s'arrêta et me regarda, l'air patient, comme on regarde un pauvre qui va faire son numéro.

— Je veux que tu saches et je veux qu'ils sachent. J'aime Elena, alors je fais ce qu'elle me demande jusqu'au bout. Même quand ça ne l'intéresse plus. Quand j'ai eu la syncope, c'est parce qu'Elena m'avait demandé de courir sans arrêt. Et elle l'a demandé parce qu'elle savait que j'avais de l'asthme et parce qu'elle savait que je lui obéirais. Elle voulait que je me sabote mais elle ne savait pas que j'irais si loin. Parce que là, si je vous raconte tout ça, c'est

aussi pour lui obéir. Pour être complètement sabo-
tée.

Les plus petits des enfants n'avaient pas l'air de
comprendre mais les autres comprenaient. Ceux qui
m'aimaient bien me regardaient avec affliction.

Elena regarda sa jolie montre.

— La récréation est presque finie. Je retourne en
classe, dit-elle comme une enfant parfaite.

Les spectateurs souriaient. Ils avaient l'air de trouver ça plutôt comique. Par chance, ils n'étaient
« que » trente ou trente-cinq, soit un tiers des élèves.
C'eût pu être pire.

J'avais quand même réussi un sacré sabotage.

Mon délire dura encore une heure environ. Je res-
sentais une incompréhensible fierté.

Ensuite, cet orgueil déclina très vite.

A quatre heures, le souvenir du matin ne m'inspirait plus que consternation.

Le soir même, j'annonçai à mes parents que je
voulais quitter la Chine au plus tôt.

— Nous en sommes tous là, dit mon père.

Je faillis répondre : « Oui, mais moi j'ai de bonnes
raisons pour ça. » J'eus l'heureuse intuition de couper cette réplique.

Mon frère et ma sœur n'avaient pas assisté à
l'affaire. On se contenta de leur raconter que leur
petite sœur s'était donnée en spectacle, ce qui ne les
traumatisa pas.

Bientôt, mon père apprit son affectation à New
York. Je rendis grâce à Christophe Colomb.

Il fallut encore attendre jusqu'à l'été.

Je vécus ces quelques mois dans l'opprobre. Cette
honte était exagérée : les enfants avaient très vite
oublié ma scène.

Mais Elena s'en souvenait. Quand son regard croisait le mien, j'y lisais une distance narquoise qui me suppliciait.

Une semaine avant notre départ, il fallut cesser la guerre contre les Népalais.

Cette fois, les parents n'y furent pour rien.

Lors d'un combat, un Népalais sortit de sa poche un poignard.

Jusqu'alors, nous nous étions battus avec notre corps — aussi bien le contenant que le contenu. Nous n'avions jamais utilisé des armes.

L'apparition de la lame provoqua sur nous un effet comparable aux deux bombes atomiques sur le Japon.

Notre général en chef commit l'inconcevable : il se promena à travers tout le ghetto en brandissant un drapeau blanc.

Le Népal accepta la paix.

Nous quittions la Chine juste à temps.

Passer sans transition de Pékin à New York eut raison de mon équilibre mental.

Mes parents perdirent le sens commun. Ils gâtèrent leurs enfants jusqu'à la démesure. J'adorais ça. Je devins odieuse.

Au Lycée français de New York, dix petites filles tombèrent folles amoureuses de moi. Je les fis souffrir abominablement.

C'était merveilleux.

Il y a deux ans, les hasards de la diplomatie mirent en présence mon père et le père d'Elena, lors d'une mondanité tokyoïte.

Effusions, échange de souvenirs du « bon vieux temps » à Pékin.

Politesses d'usage :

— Et vos enfants, cher ami ?

Au détour d'une lettre distraite de mon père, j'appris qu'Elena était devenue une beauté fatale. Elle étudiait à Rome, où d'innombrables malheureux parlaient de se suicider pour elle, si ce n'était déjà fait.

Cette nouvelle me mit d'excellente humeur.

Merci à Elena, parce qu'elle m'a tout appris de l'amour.

Et merci, merci à Elena, parce qu'elle est restée fidèle à sa légende.

Du même auteur
aux Editions Albin Michel :

HYGIÈNE DE L'ASSASSIN, 1992.

LES COMBUSTIBLES, 1994.

LES CATILINAIRES, 1995.

Composition réalisée par JOUVE

Imprimé en France sur Presse Offset par

BRODARD & TAUPIN

GROUPE CPI

La Flèche (Sarthe).
N° d'imprimeur : 32487 – Dépôt légal Éditeur : 65726-02/2006
Édition 18
LIBRAIRIE GÉNÉRALE FRANÇAISE – 31, rue de Fleurus – 75278 Paris cedex 06.
ISBN : 2 - 253 - 13945 - 9